VAUGHAN PUBLIC LIBRARIES   PBRL

3 3288 50099322 7   JAN 2017

D1636075

LA CHALEUR DES MAMMIFÈRES

DU MÊME AUTEUR

Dérives, Leméac, 2010 ; Nomades, 2017.
La chute de Sparte, Leméac, 2011.
Mort-Terrain, Leméac, 2014 ; Nomades, 2016.
Naufrage, Leméac, 2016.

BIZ

La chaleur
des mammifères

roman

LEMÉAC

Ouvrage édité sous la direction
de Jean Barbe

Photo de la couverture : © Makieni/Shutterstock.com

Leméac Éditeur remercie le gouvernement du Canada, le Conseil des arts du Canada, la Société de développement des entreprises culturelles du Québec (SODEC) et le Programme de crédit d'impôt pour l'édition de livres du Québec (Gestion SODEC) du soutien accordé à son programme de publication.

Canadä

Tous droits réservés. Toute reproduction de cette œuvre, en totalité ou en partie, par quelque moyen que ce soit, est interdite sans l'autorisation écrite de l'éditeur.

ISBN 978-2-7609-4759-7

© Copyright Ottawa 2017 par Leméac Éditeur
4609, rue D'Iberville, 1ᵉʳ étage, Montréal (Québec) H2H 2L9
Dépôt légal – Bibliothèque et Archives nationales du Québec, 2017

Mise en pages : Compomagny

Imprimé au Canada

À la mémoire de Michel Bellefleur,
professeur au Département d'études
en loisir, culture et tourisme de l'UQTR

1

TRIAS

*La science est grossière, la vie est subtile,
et c'est pour corriger cette distance
que la littérature nous importe.*

ROLAND BARTHES, *Leçon*

J'ai signé les papiers de divorce d'une main tremblante, j'ai balbutié à Vicky : « Je te souhaite d'être heureuse », et je suis sorti du bureau de l'avocat. Le stylo avait manqué d'encre et j'ai dû terminer ma signature en la gravant sur le papier. Sur le trottoir, j'étais enfin libre mais je ne savais pas quoi faire.

Sans trop de conviction, j'ai marché vers mon nouveau condo. Le temps était glacial. Les assauts de novembre annonçaient l'imminence d'un hiver éprouvant. Je courbais la tête pour limiter le vent qui s'engouffrait dans mon cul. Des feuilles et des dechets tourbillonnaient dans les rues.

Voilà, c'était fait. J'avais anticipé ce moment depuis des années. Je m'étais imaginé délivré d'un grand poids, mais au lieu de ça, j'étais plutôt écrasé par une sourde mélancolie ; un sentiment d'échec diffus et de regrets culpabilisants. À cinquante-cinq ans, divorcé après vingt et un ans de mariage usant, j'allais probablement finir ma vie seul. C'était aussi bien.

Une étude publiée dans *Science* a démontré que seulement 9 % des mammifères et 30 % des primates sont monogames. Chez l'humain, la monogamie est une anomalie. Historiquement, elle apparaît dans les sociétés où le pouvoir se transmet par le sang ; la fidélité des couples garantit alors la lignée du géniteur. Mais depuis l'avènement des tests de paternité, le couple monogame n'a plus lieu d'être. C'est une structure

11

rigide, sans joints de dilatation, destinée à s'écrouler subitement ou à s'éroder lentement.

La journée de mon mariage avait pourtant constitué le point culminant de ma vie avec Vicky. Ce jour-là, ma femme était la plus formidable créature de tout le système solaire et l'idée de vieillir avec elle était euphorisante. Mais dans un couple, chaque compromis est un grain de sable. Au final, c'est le désert.

En arrivant au condo, j'ai tenu la porte à une voisine qui sortait avec une poussette, une espèce de carrosse techno surdimensionné, qui devait coûter autant qu'une auto usagée. La nouvelle maman était vêtue d'un ensemble en lycra et d'espadrilles dernier cri.

— Merci. Vous êtes le nouveau voisin ? Daphnée. Bienvenue dans le quartier.

Elle était vraiment radieuse.

— René. Enchanté.

Je l'ai regardée filer au pas de course vers le parc. Vas-y, ma belle, cours. Ton couple, lui, court à sa perte. Les enfants transforment les amoureux en gestionnaires de PME. Et toute entreprise finit par fermer ses portes. Je n'avais pas de courrier dans ma boîte aux lettres.

Mon ex avait tendance à accumuler quantité d'objets disparates et inutiles. Notre ancien duplex était un souk surchargé, un capharnaüm baroque sans harmonie. La matière avait fini par m'étouffer. Littéralement, je manquais d'air et d'espace. Avec Vicky, les objets avaient été une source d'engueulades infinies. Je lui reprochais sa syllogomanie, qui relevait (selon mes recherches Internet) d'une insécurité maladive et d'une incapacité à se détacher du passé. Elle me renvoyait à mon trouble d'adaptation et à ma psychorigidité. C'était sans issue.

D'un strict point de vue financier, ce divorce était une bonne affaire. Mon ex gérait une boîte de pub et le partage du patrimoine avait été nettement à mon avantage. Mon nouvel appart était épuré et lumineux. Tout était zen et de bon goût. Le canapé et le fauteuil étaient en cuir de buffle. Les luminaires du salon étaient un prodige de technologie allemande. Mes draps étaient en coton égyptien. La décoration était sobre : un triptyque de Pellan dans le salon, un portrait d'Arthur Schopenhauer dans mon bureau et une reproduction de *La chasse-galerie* d'Henri Julien dans la chambre. Deux cartes postales de la Corse égayaient le mur de la cuisine. À côté de la hotte, fixé à une pastille aimantée, trônait mon fidèle couteau de chef : un Kasumi japonais en acier martelé.

Tous ces objets, je les avais choisis et disposés avec soin dans mon nouveau logement. Aucune trace du bordel de Vicky. J'aurais dû me sentir bien et pourtant, j'étais envahi par la solitude et le vide. La porte du frigo était en érable, avec une longue poignée en aluminium brossé. L'intérieur était moins glorieux : une pinte de lait, un emballage de jambon ouvert, un demi-oignon, un pot de betteraves et une bouteille de champagne. Je ne sais pas comment j'avais pu m'imaginer avoir envie de célébrer mon divorce avec des bulles. Je me suis commandé du poulet, que j'ai mangé en regardant la nuit tomber sur la ville. Le livreur avait oublié la salade de chou.

Après souper, je n'avais rien à faire. Autant m'avancer dans mes corrections. Corriger, c'est le supplice de n'importe quel prof. Essentiellement parce qu'en évaluant l'apprentissage de ses élèves, l'enseignant mesure sa propre capacité à transmettre le savoir. Le résultat renvoie presque toujours au double constat d'échec des apprenants et du maître. Même après vingt-huit ans d'enseignement, mes étudiants parvenaient encore à repousser les limites de ma déception.

Comme travail, j'avais demandé aux finissants du bac de réfléchir à cette phrase toute simple : «Quel est l'avenir de la littérature?» Mille mots minimum. Vaste question, à laquelle je n'avais moi-même aucune réponse. Mais j'étais curieux de voir ce que des jeunes cerveaux fringants avaient à dire sur le sujet. Sur leur page de présentation, trois étudiants avaient trouvé le moyen de mal orthographier mon nom de famille : McKay. Pourtant pas compliqué. J'ai eu droit à McCay, Meckay et Mecqué. Mecqué : pèlerin qui revient de la Mecque.

Rapidement, j'ai dû changer la cartouche d'encre rouge de ma plume. C'était un florilège d'approximations, d'insignifiances décousues et de faussetés péremptoires. Aucune argumentation, aucune originalité, aucun effort. Le tout balbutié dans une langue atrophiée, à peine plus élaborée que les gloussements d'un cacatoès. Une génération d'analphabètes diplômés. Jamais insulte du capitaine Haddock n'avait visé aussi juste.

Évidemment, il y avait l'inévitable copié-collé sur Internet. Le type avait beau avoir ajouté des fautes et changé des mots (la paresse demande beaucoup d'efforts), j'ai repéré l'original en trois clics sur un site consacré au structuralisme de Todorov. J'ai mis deux minutes à tracer un immense zéro sur sa page de présentation. Avec, en prime, cette citation de Victor Hugo : «N'imitez rien ni personne. Un lion qui copie un lion devient un singe.»

Impossible de continuer à jeun. Je suis allé chercher la bouteille de champagne. À défaut de célébrer mon divorce, autant boire à la bêtise étudiante. Comme toujours, Héloïse de Barberac m'a bien emmerdé. Cette petite anarchiste à *dreads* avait un front de bœuf et une logique à toute épreuve. Elle citait Bakounine un peu trop souvent, mais ça lui passerait. Ça leur passe à tous. On cite Bakounine à vingt ans ; à cinquante, c'est Cioran.

Elle m'avait remis une page blanche agrafée à sa page de présentation. Je me suis servi un autre verre de champagne et j'ai réfléchi. Comment noter ce *travail*? Je comprenais que la page blanche induisait l'idée que la littérature était sans avenir. Mais encore? Frondeur, mais paresseux. Avec un air de déjà-vu. Le coup de la page blanche, je l'avais fait moi-même au séminaire. En 1977, avec le père Thivierge, ça n'avait pas passé du tout. Zéro et une semaine de retenue. Autre temps, autres mœurs. Je lui ai donné 70. Avec ce commentaire : «Audacieux mais banal. Le *Carré blanc sur fond blanc* a été peint par Kasimir Malevitch en 1918.»

Abruti par l'alcool, j'ai expédié les dernières copies rapidement. Nul de chez nul. Qu'on en juge : «Dans se travail, je vais adressé la problématique de la littérature pas rapport à l'issu de son avenir.» Je soulignais des paragraphes entiers en griffonnant des points d'interrogation rageurs dans la marge. Une langue cancéreuse, symptôme d'une pensée en phase terminale. Mais qu'est-ce qu'ils foutaient dans un bac en lettres? Ils étaient là pour passer le temps? Pour faire plaisir aux parents? S'imaginaient-ils un jour remporter le Goncourt avec leurs moignons de réflexions?

Heureusement, il y avait Steeve Simard. Lui, je le gardais toujours pour la fin. Un allumé. Une étoile dans la nuit. Malgré son prénom, un authentique littéraire. Mais un nom, ça ne veut rien dire; il y avait maintenant un Dany à l'Académie française. En trois ans de bac, Steeve ne m'avait jamais déçu. Et cette fois-ci ne faisait pas exception.

Son travail s'intitulait : *La fin du texte. Prolégomènes d'une nouvelle communication.* Alléluia ! En vingt-huit ans de carrière, c'était la première fois qu'un étudiant me servait des prolégomènes. Et contrairement à plusieurs de ses congénères qui complexifient leur langage pour rembourrer leur pensée, je savais qu'il avait choisi le mot juste.

Sa réflexion était audacieuse. Il postulait entre autres qu'il fallait se réjouir du texto qui, « en élaguant les voyelles, constitu[ait] l'évolution ultime du langage écrit ». Il louangeait aussi les émoticônes, « signifiants nouveau genre permettant de nuancer la pensée à l'écrit ». En conclusion, il soutenait que « la littérature devait se fragmenter pour infiltrer les médias sociaux ». Il parlait de *nanolittérature* et de *twittérature*.

J'ai fini la bouteille de champagne en me délectant de son texte. Évidemment, j'ai corrigé un *s* ici et là pour la forme. J'ai lancé une recherche sur Internet. Aucune trace de plagiat. J'étais en face d'une pensée originale, magnifiquement exprimée. C'est tellement rare. La moitié de mes confrères du département aurait été incapable d'en faire autant.

Je lui ai donné 100. C'était quand même beaucoup. Son cadre d'analyse était un peu mince. 95 aurait été plus juste. Mais en contrepoint à la médiocrité de ses collègues, il apparaissait encore meilleur. Et le champagne me rendait généreux.

J'ai rangé les copies dans ma vieille serviette en cuir et je suis allé me brosser les dents. J'avais vieilli. Mon visage s'était empâté et mes cheveux avaient encore perdu du terrain. Dans mon grand lit glacé, les réflexions de Steeve me faisaient entrevoir de nouveaux territoires de recherche complètement vierges. Des planètes inconnues à explorer. Il me renvoyait à la banalité de ma thèse sur Arthur Buies. Il me donnait presque envie de refaire un doctorat.

*

Malgré l'heure matinale, l'université bourdonnait comme une ruche. Devant le local de reprographie, des jeunes faisaient la file pour discuter avec Bobby Beaulieu, un appariteur devenu vedette virale à la suite d'un triomphe à un quiz sportif. Les jeunes voulaient des conseils pour leur *pool* de hockey. D'une voix forte et perçante, il prêchait à qui voulait l'entendre que cette année était l'année des Hurricanes de la Caroline. Entre deux tirades, le Platon de la *puck* s'interrompait le temps d'un *selfie* avec des disciples, qui arboraient un t-shirt avec son visage.

La cafétéria était bruyante et animée. Je me suis mis en file pour le café. Partout, la jeunesse. Belle et bête, courbée sur son téléphone comme Atlas sous le poids du monde. Dans la tribu, le *tattoo* était la norme. Il y avait eu les motifs tribaux sur les biceps, les aphorismes cucul calligraphiés en anglais sur les avant-bras, les étoiles sur les mains, les barbelés autour des chevilles, les papillons au creux des reins, les pattes de couguar entre les seins, les caractères japonais dans le cou et, depuis peu, on voyait se multiplier les capteurs de rêve. Et ce n'était là que la partie émergée de l'iceberg. Dieu sait quels gribouillages ornaient leur intimité. Qu'est-ce que tout cela voulait dire? Qu'en aurait pensé Roland Barthes dans ses *Mythologies*? Pauvres jeunes: ils voulaient tellement être uniques qu'ils en devenaient identiques. Pareils dans la diversité. Quelle indécente vulgarité que d'afficher son imaginaire à la vue de tous. Quelle vanité que d'élever son corps au rang d'œuvre d'art. Et que deviendrait l'œuvre lorsque la toile serait affaissée et plissée? Qu'adviendrait-il de ces vieillards barbouillés de souvenirs décolorés? Le *tattoo* était le révélateur le plus probant d'une génération narcissique, incapable d'envisager l'avenir et esclave des pulsions du présent.

— Bon matin, monsieur McKay.

Une belle fille vive avec un sourire à faire fondre la calotte polaire m'a tiré de ma rêverie. Elle arborait un chandail de loup trop grand qui tombait jusqu'à mi-cuisse sur un leggings noir. Une horrible réminiscence des années quatre-vingt m'a soulevé le cœur. Pour les jeunes, les années quatre-vingt c'était la quintessence du cool, un clin d'œil ironique à la déferlante fluo qui avait ruiné les plus belles années de mon adolescence. La musique, la mode, la coiffure, rien n'avait été épargné par l'horrible esthétique du *pouet-pouet-spray-net*. À part Michel Rivard, personne n'était sorti indemne des années quatre-vingt. J'avais même envisagé un recours collectif, au nom d'une génération privée de beauté dans la période la plus importante de sa vie.

— Salut, Marjorie.

— Avez-vous eu le temps de corriger les travaux?

— Oui. Je vais vous remettre ça tantôt.

— C'est *chill*. À tout à l'heure.

Elle est repartie rejoindre des amies, légère et insouciante. Elle portait un anneau entre les deux narines et s'était fait tatouer une citation illisible de Kurt Cobain sur l'avant-bras. Si j'ai bon souvenir, elle considérait que la littérature avait autant d'avenir que l'humanité elle-même. C'était quand même pas mal. Un peu tautologique comme raisonnement, mais pas mal. En tout cas, ce n'était pas faux. C'était déjà ça. Elle aurait pu avoir une bonne note, mais elle avait perdu tous ses points de français.

À une table, un étudiant sénégalais goûtait à sa première poutine. Il grimaçait de dégoût, sous les encouragements de ses compagnons. Jéroboam de café en main, j'ai gagné ma classe. Ce matin, c'était la littérature française moderne. À côté de la porte, Marjorie embrassait à pleine bouche un grand dadais avec dans les oreilles des anneaux en bois grands comme des perchoirs à oiseaux. Il glissait une main possessive dans la chute de reins de la fille.

18

Ils étaient insupportablement jeunes et beaux. Mais je ne donnais pas deux mois à leur histoire. Le temps lézarde tout, même les pierres les plus solides. Les plus beaux souvenirs se fanent, les meilleurs vins dépérissent. Comment pourrait-il en être autrement pour l'amour ? L'amour aussi vieillit. C'est inéluctable. Il se ride, se dessèche et s'atrophie. Rien ne résiste au passage du temps. Pas même l'amour. Surtout pas l'amour. J'ai commencé le cours deux minutes en avance pour abréger leur bonheur.

J'ai palabré pendant trois heures sur Michel Houellebecq et Virginie Despentes. Un bon vieux cours de vétéran, ronronné avec assurance, mais sans passion. Ils étaient une trentaine d'étudiants à fixer leur ordi en pianotant. Je ne savais jamais s'ils prenaient des notes ou conversaient sur Facebook. Ils m'offraient des visages inexpressifs, blanchis par le halo des écrans.

Comme d'habitude, Steeve était assis au fond à droite. Il prenait des notes à la main dans un cahier. Juste avant la pause, il s'est permis une question (qui était plus un commentaire) à propos d'une parenté de style entre les deux auteurs. Comme d'habitude, il n'avait pas levé la main. Venant de n'importe qui d'autre, ça m'aurait énervé. Il appuyait son propos en citant Despentes : « Il n'allait quand même pas prendre le RER pour se faire sucer la bite. » Tout en calmant les rires des étudiants revenus à la vie, j'ai dû reconnaître que Houellebecq aurait pu écrire ça.

À la fin du cours, j'ai distribué les travaux corrigés. Steeve est arrivé en dernier, avec sa démarche nonchalante. Il a contemplé sa note avec calme.

— Très bons, tes prolégomènes.

— Merci.

Profitant de ce que nous étions seuls dans la classe et qu'il rangeait le travail dans son sac, je me suis lancé en me raclant la gorge.

— Tu sais, après ton bac, j'aimerais beaucoup diriger ta maîtrise. T'as des bonnes idées. On pourrait faire de la recherche ensemble

Il a relevé la tête, un peu gêné. Ses longs cheveux tombaient comme des rideaux devant ses yeux vifs.

— C'est gentil, mais je vais probablement aller en Europe. Je suis accepté à Paris I et Louvain-la-Neuve.

Je me sentais comme un prétendant éconduit par une fille. J'ai bredouillé :

— Oui, la Sorbonne, c'est bien.

Nous nous sommes quittés rapidement avant que le malaise n'empire. Mais de quel vertige avais-je été frappé? On n'était plus en 1920, alors que le surdoué du fond du rang pouvait au mieux aspirer au cours classique du séminaire de la ville voisine. De nos jours, les jeunes avaient le monde à leurs pieds. À part mon admiration, qu'avais-je à offrir à Steeve? Je n'avais presque rien publié et mes cours étaient ennuyants. C'est du moins ce qui ressortait des évaluations que les étudiants faisaient de moi. Honteux, j'ai gagné mon bureau.

Dans le corridor, je franchissais la haie d'honneur du Département *des* littératures de langue française (quelle bêtise, ce nouveau nom). Sur leur photo ridicule avec leur faux diplôme en carton, les centaines de finissants affichaient un sourire de conquérant. Qu'étaient-elles devenues, ces belles têtes de vainqueurs? De ce que j'en savais, la plupart étaient profs. Comme l'a si bien dit Houellebecq, les études littéraires fonctionnent en circuit fermé et n'ont d'autre finalité que leur propre perpétuation. Comme un jardin japonais; c'est très beau, mais c'est toujours la même eau qui coule.

À ma connaissance, en quarante-cinq ans d'existence, le département n'avait produit que deux finissants qui vivaient de leur plume. Le premier donnait dans l'horreur et ses romans se vendaient horriblement bien. La mosaïque de sa promotion 1992-1995 était devenue un lieu de pèlerinage, où les fans venaient se *selfier* devant sa photo. L'autre était une madame experte en sciences divinatoires, qui publiait deux livres par an depuis vingt ans. Son public était plus niché, mais elle se rattrapait sur le volume. La directrice les citait régulièrement comme des exemples de l'excellence du département. Quand même. Deux sur mille cinq cents, ça ne fait pas un gros ratio.

En tournant le coin, la secrétaire m'a hélé :

— Oubliez pas la réunion de département cet après-midi.

— Merci, Louise.

Elle avait bien fait de me rappeler la réunion ; j'avais complètement oublié. Quoique maintenant, je n'avais plus d'excuse pour ne pas y assister.

J'avais reçu un courriel d'un organisme subventionnaire auquel j'avais soumis un projet de recherche. Le cœur battant, j'ai cliqué. Les mots qui tuent m'ont sauté aux yeux : « Malheureusement, c'est avec regret… beaucoup de dossiers de qualité… budget limité, etc. » De la bouse technocratique pour m'annoncer que je n'avais pas une cenne pour ma recherche intitulée *Le cynisme, nouvel étendard de la littérature française.*

On a cogné à ma porte.

— Entrez.

Héloïse de Barberac et sa crinière de *dreads* sont entrées dans le bureau. Elle a voulu refermer la porte.

— Non, laisse-la ouverte. Il fait chaud.

Depuis que Ti-Coq s'était fait piégé, tous les profs mâles recevaient les étudiants (et surtout les étudiantes) la porte ouverte. Il y a cinq ans, une fille était entrée dans son bureau mécontente de sa note. Une petite prétentieuse, désagréable et trop maquillée.

Après avoir refermé la porte, elle avait tendu son travail en disant d'un ton menaçant :

— J'ai une amie qui m'attend dehors. Si tu me mets pas 75, je sors en hurlant et je t'accuse d'agression sexuelle.

Ti-Coq avait planté son regard dans le sien. Il s'était levé lentement. Il avait ouvert la porte en ne la quittant pas des yeux, comme un dompteur de fauve.

— Décâlisse.

Elle était ressortie, piteuse, rejoindre son amie qui ne comprenait pas que le plan ne se déroule pas comme prévu. Ti-Coq, de son vrai nom Gervais Latour, était mon voisin d'en face au département. C'était un spécialiste de Nelligan. Je ne l'ai jamais aimé, mais cette fois-là, il aurait mérité une plaque à son nom à l'entrée du département.

Héloïse restait dans l'embrasure de la porte. Elle était mignonne et menue, mais cachait sa beauté sous sa couronne de cheveux hirsutes et des vêtements informes. Elle avait son travail en main.

— Oui ?

— Pour mon travail… Je voudrais savoir où j'ai perdu des points ?

— Ce serait plutôt à moi de te demander où tu en as gagné. T'as rien écrit.

— Justement, c'est un *statement*. La littérature est condamnée par la technologie.

— J'ai tout compris ça.

— Mais alors pourquoi j'ai seulement 70 ? Pourquoi pas 80 ? Ça mérite au moins ça pour l'audace.

Elle m'offrait son plus beau sourire en se balançant d'une jambe à l'autre. J'ai soupiré. Comment pouvaient-ils être si paresseux pour travailler et si pugnaces pour grappiller des points ? Soudainement, j'en ai eu assez d'argumenter avec une génération braillarde et fainéante, qui ne foutait jamais rien, mais criait toujours à l'injustice. Je me suis levé pour l'éconduire. J'ai élevé la voix, comme un parent excédé par les caprices d'un enfant :

— Bon, ça suffit, j'ai pas rien que ça à faire. Ton raisonnement est faux. La page blanche, c'est justement l'avenir de la littérature. C'est le lieu de tous les possibles, où tout reste à faire. Pour exprimer ton idée, il aurait fallu que ta page soit noire. Si tu veux que je change ta note, je peux mettre zéro.

— Ben là…

Vaincue, elle a battu en retraite. J'ai refermé la porte derrière elle et je me suis effondré dans le fauteuil, assommé par une grande lassitude.

*

La nouvelle avait fait le tour du département aussi rapidement qu'un virus : La Pute avait eu son financement de recherche. La Pute, c'était Stéphane Richard, un prof dans la cinquantaine spécialisé en littérature et technologies. Je l'avais baptisé ainsi en raison du soin maladif qu'il apportait à son apparence et de sa propension à se vendre au plus offrant. Cette fois-ci ne faisait pas exception. Son bronzage était parfait (avec juste assez de cabine pour avoir l'air naturel), ses dents étaient lumineuses (on prétendait qu'il avait investi son fonds de retraite dans des implants de dernière technologie) et sa chemise sur mesure laissait paraître un bouquet de toison pectorale blanchie. Il laissait le peu de cheveux qui lui restaient très ras, ce qui donnait toute la place à son large front. Comme s'il exhibait la grosseur de son intelligence.

À l'entrée de la réunion départementale, on faisait cercle autour de lui pour le féliciter. C'était un très gros projet (on parlait même de la création d'une chaire de recherche en technolittérature) avec des fonds publics et privés. En retrait de la cohue, assis seul à l'arrière du local, Georges Bellehumeur lisait une revue consacrée à Spinoza.

Âgé de soixante-dix-huit ans, ce colosse était le seul fondateur du département encore en poste. Il bougeait très lentement et marchait en traînant ses savates, comme un diplodocus survivant d'une autre époque. Il fumait comme un volcan et sentait la cigarette en permanence. Son bureau était au bout du corridor, à la frontière du département de philosophie. C'était un spécialiste en sémiologie et un brillant exégète de Roland Barthes. Il avait suivi plusieurs séminaires du maître au Collège de France. Sa grosse tête carrée et ses énormes lunettes lui donnaient un air de bon vieux saint-bernard.

Je suis allé m'asseoir à côté de lui. Voyant que je fixais l'essaim autour de La Pute avec un dégoût non dissimulé, il a lâché d'une voix caverneuse :

— Des papillons autour d'un lampadaire.

— Plutôt des larves dans un bac à compost. Ils sont pathétiques… Et toi, tu ne participes pas au sacre du roi ?

— Moi, je suis républicain. Alors les génuflexions devant les monarques, très peu pour moi.

Avait-il intentionnellement fait un lien avec *monarques* et *papillons* ? Si c'était le cas, il n'en laissait rien paraître.

— Il fait chier, Richard. C'est lui qui a sucé tout l'argent du fonds. Moi j'ai rien eu.

— C'est un peu de ta faute. Le point-virgule, le cynisme en littérature, on ne peut pas dire que tes sujets de recherche soient tellement en vogue.

— Ouain, je sais. Il faudrait que je me fasse le thuriféraire de la diversité ou l'apôtre des technologies pour avoir de l'argent. Mais ça m'intéresse pas.

— Moi, en cinquante ans, je n'ai jamais demandé de subvention. Je travaille seul, je n'attends rien de personne et je publie ce que je veux quand je veux.

Il avait sans doute raison. Il avait toujours raison. Il a poursuivi :

— Sa recherche, c'est de la frime. Il est venu me voir au printemps pour qu'on fasse une demande conjointe. J'ai tout de suite vu clair dans son jeu. Il s'agit essentiellement de générer du contenu scénaristique pour un gros fournisseur Internet. Et tout ça grâce à une armée d'étudiants prêts à abandonner leurs droits d'auteur en échange d'un statut d'assistant de recherche. C'est pas de la recherche. C'est de l'exploitation intellectuelle capitaliste financée par le public. Mais ça paraît bien. Et ça donne du travail à tout le monde. Alors tout le monde est content.

Dragon est arrivée et a fait asseoir tout le monde. Dragon (de son vrai nom Karine Archambault) était une grande brune énergique, plutôt jolie, dans la quarantaine, qui dirigeait le département d'une main d'acier dans un gant de plomb. Féministe assumée, elle adorait exercer son autorité sur les hommes. Tous s'y soumettaient de bonne grâce, les plus machos comme Ti-Coq se contentant de maugréer dans son dos.

Elle a commencé par encenser La Pute pour son financement. Il ne tentait même pas de masquer son contentement. Avaient-ils déjà foufouné ensemble ? Sûrement. Bien qu'elles s'en défendent publiquement, les féministes sont elles aussi attirées par le pouvoir et la réussite des hommes. Quoi qu'il en soit, Dragon parlait d'une recherche-action inédite dans le domaine de la littérature 2.0, d'un partenariat novateur avec l'industrie des télécommunications et d'un ruissellement de notoriété sur tout le département. Je me suis tourné vers Georges. Derrière les loupes de ses lunettes, il m'a fait un clin d'œil.

Ensuite, Dragon a plongé dans la poutine habituelle : révision de programmes, comité de coordination interdépartementale, évaluation des enseignants, augmentation des effectifs étudiants... Palabres et palabres et palabres... De la belle masturbation collective. Évidemment, Ti-Coq est intervenu, hors sujet comme à son habitude. Au cours d'une discussion sur le suivi des doctorants, il a fait remarquer que nous n'étions qu'une douzaine à la réunion départementale et que c'était toujours les mêmes qui s'absentaient. Il proposait de punir les fautifs. Un échange animé a suivi.

Napoléon Cherenfant, spécialiste des littératures antillaises, a tenté de s'élever au-dessus de la mêlée. Avec son timbre grave et hypnotisant, il roucoulait des phrases interminables, farcies de citations de Kant, pour déterminer si l'absence à une réunion départementale pouvait être considérée comme moralement condamnable. Dragon a botté en touche, suggérant à Ti-Coq de présenter une motion détaillée à la prochaine rencontre.

En varia, le délégué Yvan Lefort s'est fendu d'une harangue pour nous convier à la prochaine réunion syndicale. La dernière fois, il n'y avait même pas eu quorum. La convention collective était à renégocier et la bataille serait rude. Il en allait de notre avenir. Il nous grondait comme des enfants, sur un ton moralisateur et culpabilisant. Personne ne réagissait. Plusieurs étaient sur leur téléphone. Il s'est fâché.

— Qu'est-ce que ça va vous prendre pour vous bouger le cul? C'est pas vrai que je vais aller au batte tout seul contre l'administration! Si on fait pas front commun, ils vont nous manger! Réveillez-vous, sacrament!

Une caricature de syndicaliste avec sa petite barbe en collier et sa voix criarde. Dragon l'a habilement remercié pour son dévouement à la cause professorale. Il s'est calmé et elle a mis fin à la réunion, au grand soulagement de tous.

Dans le corridor, Ti-Coq m'a intercepté :

— Viens-tu jouer au badminton ? On a réservé un court avec Yvan.

Depuis le début de la session qu'il me harcelait pour aller jouer. Je commençais à manquer d'excuses.

— Non merci, j'ai encore des affaires à installer au condo.

— Pis comment ça va, le nouveau célibataire ? As-tu des petites mères en vue ?

— Pas vraiment, non.

— Va falloir s'occuper de ça.

Il m'a claqué le bras et s'en est allé, en marchant sur le bout des pieds, comme une fière volaille dressée sur ses ergots.

*

À l'épicerie, j'ai voulu prendre une tomate, mais je me suis battu avec le petit sac en plastique. J'étais incapable de l'ouvrir. J'ai laissé tomber le sac et replacé la tomate dans l'étal. Malgré toute cette nourriture odorante et colorée, je n'avais pas faim.

Au rayon des viandes, les côtelettes de porc étaient en spécial. À travers le cellophane, j'ai planté mon doigt dans la viande, comme je le faisais chaque fois que mon père rapportait des côtelettes du boulot. Il travaillait dans un abattoir. Plus précisément, il égorgeait des cochons. Un jour que j'étais allé le chercher avec ma mère, un de ses collègues m'avait proposé de venir le voir en action. Je n'aurais jamais dû accepter ; six ans, c'est trop jeune pour réaliser que son père passe ses journées en enfer.

Une insupportable chaleur, une puanteur de charnier, du sang partout, le grondement des machines, mais surtout les cris. Impuissants, les porcs couinaient comme des enfants terrifiés. Et mon père, enfonçant machinalement sa longue lame dans la gorge des porcs se débattant sur un tapis roulant. Alors que ses collègues manipulaient les bêtes avec sadisme, en les frappant ou en les tirant par les oreilles, mon père leur caressait doucement la joue avant de leur enlever la vie d'un geste vif et précis. Un bourreau humaniste.

Papa n'avait jamais levé la main sur mes deux frères et moi. Marqué dans sa chair par la violence alcoolique paternelle, mon père ne buvait pas ; l'austère croix noire de la tempérance accrochée au mur du salon le rappelait avec ostentation. C'était un homme de peu de mots, juste et bon, très pieux, qui récitait le bénédicité avant chaque repas. Il sublimait la brutalité de son métier dans l'intensité de sa foi.

Tous les lundis, il rentrait avec un paquet de côtelettes de porc emballées dans un papier brun ficelé. Il me remettait le paquet, avec la fierté de celui qui nourrit sa famille, et allait se laver les mains dans l'évier de la cuisine. Même en les brossant avec énergie, il subsistait en permanence du sang séché sous ses ongles. C'est pour ça qu'il ne touchait jamais sa femme et ses enfants. Pour ne pas nous salir.

À ma droite, une femme s'est emparée d'une barquette de viande hachée en me regardant avec dégoût. J'ai retiré vivement mon doigt de la viande avant de me diriger au rayon des surgelés.

Dans la cage d'escalier du condo, un bébé hurlait et les jeunes parents s'engueulaient. Le père essayait de déplier la poussette. Ils ont observé une trêve gênée pour me saluer le temps que je monte l'étage. Malgré leur jeunesse, ils avaient les yeux creusés par la fatigue. La dispute a rapidement repris. Voyeur, j'ai fait semblant de chercher mes clefs pour savourer le moment.

— Crisse de poussette du tabarnak !

— Calme-toi donc. On dirait Elvis Gratton.

— Estie de système de BS. Ça valait bien la peine de payer aussi cher. Je te l'avais dit qu'on aurait dû prendre l'autre.

— C'est pas moi qui a choisi, c'est ta mère.

— Pourquoi tu ramènes tout le temps tout à ma mère ? À chaque fois qu'on s'engueule, ma mère c'est le point Godwin.

— Tasse-toi.

Lorsque je suis rentré chez moi, la fille avait remis le petit dans les mains du père, qui fulminait pour lui-même à travers les cris du bambin. Penchée sur la poussette, Daphnée m'offrait une vue imprenable sur ses petites culottes écrues et les vergetures de ses bourrelets. Pauvres parents. Vous pensiez qu'un enfant consoliderait votre couple ? La naissance d'un bébé est une bombe à fragmentation qui endommage les unions les plus solides.

À bien y penser, c'est pas mal à la naissance de Mathieu que les problèmes avec Vicky avaient commencé. En premier lieu, il y avait eu la métamorphose du corps. Les femmes enceintes, ça n'a jamais été mon truc. Les gros seins, c'était bien, mais le ventre en coupole indiquait à mon cortex reptilien que le travail de reproducteur était déjà accompli. Dès lors, le désir était stérilisé.

Je me souviens d'une séance de magasinage pour la couchette du petit. Ma femme irradiait de bonheur en projetant sa bedaine avec fierté. Elle me remorquait par la main et je la suivais tristement. J'avais envie de toutes les femmes, sauf de la mienne. Les autres filles regardaient Vicky avec envie et je sentais une admiration à mon endroit. Ce gros ventre était la preuve de ma fertilité.

D'un point de vue zoologique, j'étais le mâle alpha qui aurait dû être autorisé à me reproduire avec toutes les femelles de la meute. Au lieu de ça, j'étais condamné à l'abstinence en vertu d'une morale judéo-chrétienne archaïque. La polygamie aurait pu être une solution. J'aurais peut-être dû devenir mormon ou me convertir à l'islam. Maintenant, il était trop tard.

Après la grossesse, les chairs de Vicky se sont affaissées. C'est dans l'ordre des choses. Je n'allais quand même pas lui demander de marcher sur les mains pour inverser le cours de la gravité. À partir de ce moment, la frustration sexuelle est devenue permanente.

Malgré de belles promesses sur l'emballage, le bœuf bourguignon surgelé était fade et coriace. À part une lampe DEL au-dessus de l'îlot dans la cuisine, l'appartement baignait dans la noirceur. J'avais voulu cet appart calme et dépouillé ; c'était plutôt un cube lisse et froid comme un mausolée. J'y glissais en fantôme à l'avenir incertain.

Installé dans le fauteuil de mon bureau, je tentais de lire un article sur Diogène intitulé « L'Occident au fond du baril ». Sur le mur devant moi, Schopenhauer me fixait de ses yeux graves et souffrants. Vicky n'avait jamais voulu de ce funeste portrait sur nos murs et je commençais à comprendre pourquoi. Impossible de trouver plus déprimant que ce vieillard spectral aux cheveux en ailes ébouriffées, dont le crâne incliné reposait dans sa main, comme écrasé par le poids de l'existence. Avec une pareille sentinelle pour corriger, pas étonnant que je trouve mes étudiants minables.

Notre ancien duplex était exclusivement décoré de peintures à la mode chez les publicitaires : des photos de grandes villes repeintes avec des traces de couleur vive pour simuler les flux de trafic. J'avais toujours trouvé cette déco criarde et de mauvais goût. Je m'ennuyais maintenant de la gaieté des toiles. Et de Vicky.

*

J'avais de moins en moins envie d'enseigner et ça commençait à devenir un problème. On approchait l'asymptote de l'incompétence. Dans un séminaire de maîtrise en création littéraire, je peinais à dissimuler mon mépris. Tout était mauvais. Les madames de retour aux études s'épanchaient sur leurs bobos et leur vieillesse. L'une d'elles s'était imaginée en Jeanne d'Arc combattant le cancer. Les gars nous ramonaient la conscience avec des contes moralistes sur les vertus de la diversité mondialisée. Et les filles nous limaient le gros nerf avec leurs états d'âme de féministes esseulées. Ils se croyaient originaux, mais régurgitaient sans l'avoir digérée la pensée dominante de leur fil Twitter. Tout ça empestait la vieille soutane jésuite.

Sous prétexte qu'ils ont beaucoup lu, les étudiants en littérature prétendent à une insupportable supériorité morale. En vérité, ce sont des hypothéqués intellectuels; avec une mise de fonds valable, certes, mais qui ne sont pas encore propriétaires de leurs idées. Pour maintenir l'intérêt, ils empruntent en citant. Leur style est lourd, encombré d'adverbes qui leur donnent l'impression d'être précis. Il en va de l'écriture comme de la sculpture. Avec le temps, le raffinement consiste à enlever de la matière, jusqu'à la perfection des lignes.

S'ils persistaient à noircir du papier, certains deviendraient décents. Pour l'heure, c'était pénible. C'est à peine si j'entendais leur voix quand ils lisaient (mal) leur texte. Après ça, ils se congratulaient mutuellement en trouvant du sens à leurs inepties. J'hésitais entre la rage et le détachement. Un jeune avec un chignon et un t-shirt de Dukes of Hazzard venait de lire son texte et quémandait mon avis du regard. Je n'avais rien écouté, mais ma prescription était sans appel :

— Faites des phrases courtes. Évitez les adverbes. Apprenez à ponctuer. Et rappelez-vous ce mot de Quintilien : « Une phrase trop chargée d'adjectifs est comme une armée où chaque soldat serait accompagné de son valet de chambre. »

Je me suis levé et j'ai foncé à mon bureau sans saluer. Les étudiants étaient confondus. À la maîtrise, je cultivais la distance et la suffisance, à la manière d'un vieux maître de conférence français. Comme ça, les jeunes me respectaient et me foutaient la paix.

Événement rarissime, La Corriveau était à l'université. Le mot s'était passé et quelques étudiants faisaient la file devant son bureau. La Corriveau, c'était Jacynthe Lemoyne, une experte en contes et légendes. Elle arborait une lourde tignasse grise et bouclée, portait en permanence de petites lunettes fumées rondes et se vêtait d'amples robes gitanes. Depuis vingt ans, elle était toujours malade et s'absentait régulièrement. Au début, il y avait eu quelques plaintes anonymes de la part de collègues envieux, mais épaulée par Yvan et le syndicat, elle avait obtenu de l'administration une sorte de droit acquis d'absentéisme. Ce traitement privilégié lui valait une profonde inimitié de la part du département. Ti-Coq, notamment, lui vouait une hostilité non dissimulée. Elle s'en foutait comme de son premier poncho. Elle n'assistait jamais aux réunions départementales, n'entretenait aucun lien avec ses collègues et se contentait des services essentiels avec les étudiants, qui pourtant l'adoraient.

Avec La Pute, elle recevait toujours les évaluations étudiantes les plus élevées (ce qui enrageait tout le monde au département). Réputés faciles et payants, ses cours étaient très courus. Au moins deux fois par session, elle se faisait porter pâle et le cours était carrément annulé, au grand plaisir des étudiants. En début d'année, La Corriveau demandait à ses étudiants d'enregistrer un conte ou une légende traditionnels narrés par un grand-parent, dont ils devaient ensuite assurer le verbatim. C'était là l'essentiel de leur travail durant la session et la moyenne du groupe oscillait toujours autour de 90.

Au fil des années, elle s'était constitué une armada d'assistants de recherche bénévoles, qui lui avait butiné un impressionnant corpus de patrimoine oral recueilli sur tout le territoire et qui faisait l'envie des spécialistes en folklore du monde entier. Ses publications étaient unanimement saluées et elle était régulièrement invitée dans des colloques à l'étranger. D'un point de vue zoologique, La Corriveau entretenait avec ses étudiants une relation mutualiste de type symbiotique.

Alors que je consultais mes courriels, Dragon s'est plantée dans mon cadre de porte.

— René, on peut se parler dans mon bureau ?

— Mais oui.

Je l'ai suivie en admirant la courbe de ses fesses superbement moulées dans sa jupe. Dragon était très territoriale et se servait de son bureau pour amplifier son pouvoir. Surtout avec les hommes. Les murs étaient tapissés de diplômes et de mentions de toutes sortes. Je me suis assis dans l'attente de me faire gronder.

— J'ai reçu une plainte à ton sujet. Ça vient du Protecteur des étudiantes et des étudiants.

Je la regardais avec la placidité d'une vache. Elle s'est approchée de moi avec autorité.

— Un de tes étudiants africains t'accuse de l'avoir traité de singe.

C'était tellement gros que j'ai ri de bon cœur. Son visage s'est durci.

— C'est grave, René. Y a pas de farces à faire avec ça.

— J'ai jamais traité personne de singe. À part peut-être Yvan dans la douche après le badminton.

Elle n'entendait pas à rire. Elle m'a plaqué une feuille devant les yeux.

— C'est toi qui as écrit ça?

J'ai reculé le fauteuil à roulettes pour pouvoir lire. C'était la page titre du travail copié où j'avais mis zéro. Dragon a lu:

— «Un lion qui copie un lion devient un singe.»

— Karine, c'est Victor Hugo. Le flo m'a remis un travail copié sur Internet. Je lui ai mis zéro, avec une citation de Victor Hugo pour lui montrer que je l'avais pincé. Ça n'a rien à voir avec la couleur de sa peau.

— Oui, mais c'est délicat. Lui prétend que tu...

Elle a cherché une feuille sur son bureau pour y lire:

— «... souille[s] ses origines africaines et le stigmatise[s] avec une attaque raciste stéréotypée».

Elle a reposé la feuille. Un string lilas émergeait de l'échancrure de sa jupe. Elle a poursuivi d'un ton sans appel:

— La nouvelle politique antiraciste de l'Université est très claire.

— Mais voyons donc... Qu'est-ce que tu vas faire?

— Moi rien. Si la plainte est maintenue, tu vas être convoqué au Protecteur et tu vas devoir t'expliquer. Tout dépendant du jugement, tu peux avoir une note à ton dossier.

J'étais sans voix.

— René, on ne peut pas traiter les Noirs de singes. Même par la bouche de Victor Hugo.

— Je m'en fous qu'il soit Noir, c'est un tricheur!

Je fulminais. Elle a cru bon d'ajouter:

— Le syndicat va te défendre. Je vais transférer ton dossier à Yvan.

En me levant, j'ai repoussé le fauteuil à roulettes, qui a percuté lourdement un classeur. Le choc a fait se recroqueviller Dragon. J'ai quitté son bureau en la fusillant du regard. Je l'aurais étranglée avec son string. Non seulement elle n'allait pas m'aider, elle soutenait ce délire d'accusation raciste.

J'étais trop en furie pour rester à l'université. Dehors, les premiers flocons virevoltaient dans la grisaille bétonnée du campus. Le froid me piquait les oreilles. L'hiver serait sans pitié. Les étudiants circulaient rapidement. Les deux immenses prismes cubiques en équilibre sur un sommet montaient la garde au centre de l'esplanade déserte.

À la rentrée, alors que septembre baignait toutes choses de lumière, l'esplanade était envahie par les jeunes. C'était le quartier général de l'initiation et des bacchanales mémorables y avaient eu lieu. Il y a cinq ans, les étudiants en génie avaient voulu fixer un baril de bière percé d'un tuyau au sommet d'un cube. Lors de l'installation, un jeune avait chuté et s'était brisé la moelle épinière. Le journal de l'Université avait rapporté qu'il avait terminé son bac avec mention et fondé une entreprise spécialisée dans le développement d'une chaise roulante à chenilles, capable de circuler dans la neige.

La froideur du condo m'apaisait. Quand j'habitais avec Vicky, elle surchauffait la maison comme un camp de chasse. Au début, c'était bien, parce qu'elle circulait toujours peu vêtue dans l'appartement. J'aimais particulièrement sa camisole, son string et ses gigantesques bottes-pantoufles en poil. Elle prenait plaisir à m'exciter en surgissant inopinément en ingénue. Dans la cuisine, elle se penchait pour farfouiller dans les armoires. C'était comme un jeu. J'essayais de lui résister le plus longtemps possible. Invariablement, je craquais et je la prenais par-derrière dans un fracas de chaudrons. Vicky était une jouisseuse aux multiples zones érogènes et j'adorais le pouvoir que j'avais en lui donnant du plaisir.

Et puis, le désir s'est tari. Après la naissance de Mathieu, il faisait toujours aussi chaud, mais elle se vêtait en cotons ouatés informes et laids. Après un court congé de maternité, elle a recommencé à travailler. Beaucoup. Elle rentrait tard. Souvent. Des réunions, disait-elle. Je la soupçonnais de m'avoir trompé quelques fois avec des jeunes loups bien sapés. Mais je ne l'ai jamais confrontée. Notre amour n'a jamais eu de date de décès ni de funérailles officielles. J'ai laissé pourrir le cadavre jusqu'à ce que l'odeur devienne insupportable.

La fraîcheur du condo me rendait productif. Je planchais sur l'évaluation finale en littérature française. J'avais opté pour un examen à choix de réponses. Plus de travail à concevoir, mais je gagnais en temps de correction.

1. L'ouvrage le plus connu de Louis-Ferdinand Céline est *Voyage au bout de la vie*.

2. Le roman *Les bienveillantes* de Jonathan Littell met en scène un officier de l'armée française lors de la Seconde Guerre mondiale.

3. Vernon Subutex est le héros d'une trilogie de Virginie Despentes.

4. Le roman *Les renards pâles* de Yannick Haenel a été publié en 1996.

5. *La possibilité d'une île* a été publié chez Fayard.

Choix de réponses

6. Lequel de ces titres n'est pas un roman de Michel Houellebecq?
   A. *La carte et le territoire*
   B. *Extension du domaine de la lutte*
   C. *Les corpuscules de Krause*
   D. *Plateforme*

7. Le roman *Germinal* décrit l'univers de quelle catégorie de travailleurs?
   A. Mineurs
   B. Pêcheurs
   C. Paysans
   D. Ouvriers

8. Qui a écrit *La nausée*?
   A. André Gide
   B. Jean-Paul Sartre
   C. Albert Camus
   D. Raymond Aron

9. À quel mouvement littéraire associez-vous Honoré de Balzac?
   A. Structuralisme
   B. Objectivisme
   C. Réalisme
   D. Existentialisme

10. Quel écrivain a remporté un prix Goncourt sous le pseudonyme d'Émile Ajar?
    A. Romain Gary
    B. Simone de Beauvoir
    C. André Breton
    D. Michel Houellebecq

C'était un examen facile, à la hauteur du génie de mes étudiants. Le seul enjeu pour moi serait de m'assurer qu'ils ne trichent pas. Chaque année, ils rivalisaient d'imagination pour déjouer le système et ça me demandait beaucoup d'attention. Pendant longtemps, pour gagner du temps, j'ai fait faire une correction collective tout de suite après l'examen. Alors que je donnais les bonnes réponses, chacun corrigeait la copie du voisin avec un stylo rouge. L'année dernière, je me suis aperçu qu'un groupe d'amis faisait semblant de répondre aux questions et, lors de la correction de leurs voisins, ils marquaient les bonnes réponses avec un stylo bleu coiffé d'un capuchon rouge. J'étais stupéfait par l'audace de leur malhonnêteté.

Georges avait trouvé une solution infaillible à la triche : il permettait tout. Lors de l'examen final, les étudiants devaient répondre à une seule question à développement. Ils avaient trois heures top chrono pour remettre leur copie. Ils pouvaient tout faire : se mettre en équipe, consulter des livres, des notes de cours, Internet, tout. Les seules ressources interdites étaient les profs du département. Les bons étudiants travaillaient seuls, avec leurs notes prises pendant les cours. Les mauvais, qui n'avaient pas pris de notes, se regroupaient comme des naufragés sur un radeau. Ils perdaient tellement de temps à s'organiser qu'ils coulaient ensemble. En fin de compte, Georges avait constaté que la moyenne des notes formait une cloche parfaite de la courbe normale. Il y avait là selon lui une leçon à tirer : quand on les laisse libres, les étudiants se révèlent tels qu'ils sont, sans duperie ni distorsion. Il avait évidemment raison. Mais j'étais trop paresseux pour corriger des examens aussi verbeux.

*

J'ai fini par accepter l'invitation de Ti-Coq et Yvan à jouer au badminton. Depuis mon divorce, je ne voyais plus personne et ça devenait malsain. Il faut un minimum de liens sociaux pour prétendre au genre humain.

Un tunnel reliait le pavillon principal au tout nouveau centre sportif. Le recteur se félicitait sur toutes les tribunes que le chantier ait été terminé dans les délais prévus et sans dépassement de coûts. Dans un monde corrompu, la norme était consacrée au rang d'exception. C'était un bâtiment moderne, tout blanc, avec de grandes fenêtres qui donnait sur les gymnases et la piscine. Des étudiantes en short et en maillot de bain, c'était quand même la meilleure pub pour une université.

Ti-Coq était ravi. Notoirement compétitif, il jouait chaque point comme si sa vie en dépendait. Il était partout sur le terrain, n'hésitant pas à plonger lourdement, et ahanait bruyamment à chaque coup. Il ponctuait chaque smash gagnant d'un retentissant « Tchaboy ! » qui faisait se retourner les autres joueurs. Il a pris ma mesure rapidement et se moquait de mon essoufflement.

— Enweille, McKay, travaille ! Tu devrais te mettre en double avec Houellebecq.

J'ai cédé ma place à Yvan. Muni d'un bandeau et de serre-poignets absorbants, il se débrouillait pas mal mieux que moi. Même qu'il a eu quelquefois le dessus sur Ti-Coq. Ti-Coq était vraiment mauvais perdant ; sa raquette sifflait violemment à chaque point concédé. Yvan était méthodique et futé. Avec des feintes et des amortis savants, il embobinait fréquemment Ti-Coq, qui rageait contre lui-même à voix haute.

Dans les vestiaires, Yvan m'a pris à part pendant que Ti-Coq se douchait.

— J'ai reçu le dossier de Mamadou Traoré.

— C'est qui, ça?

— Le Noir qui t'accuse de racisme. J'ai parlé au Protecteur des étudiants. Ça sent pas bon. Ils menacent de sortir dans les médias. J'ai réussi à leur faire promettre de rien sortir publiquement avant qu'on ait négocié une entente.

— Y a rien à négocier. Y a copié, y a zéro : c'est toute. Moi, j'applique la politique contre le plagiat votée par l'Université. C'est pas moi, le méchant, dans l'histoire.

— T'as raison sur toute la ligne. Mais c'est pas la réalité qui compte, c'est la perception de la réalité. Et de nos jours, le racisme est perçu comme beaucoup plus grave que la tricherie.

J'ai arrêté de me changer et je me suis assis lourdement sur le banc devant les casiers, les bras entre les jambes. J'étais entièrement nu et j'avais l'air du penseur de Rodin.

— Qu'est-ce que tu suggères?

— Il veut 70. En échange, il promet de fermer sa gueule et de déchiqueter le travail. En ce moment, c'est la seule preuve contre toi.

— Jamais! Je suis peut-être cynique, mais je me mettrai pas à genoux devant un tricheur!

— Si tu veux te battre, le syndicat va te soutenir. Mais honnêtement, je pense qu'on a aucune chance et que ça va te coûter très cher dans l'opinion publique. Veux-tu vraiment te faire lyncher par la Ligue des Noirs au téléjournal?

— Tabarnak!

J'ai donné un violent coup de raquette sur le casier. Le cadre s'est tordu sous la force de l'impact. Yvan m'a mis une main sur l'épaule. Ti-Coq est revenu, serviette autour des hanches, en chantonnant *My Way* de Sinatra, avec sa bouteille de shampoing en guise de micro.

— OK, les pères. Où c'est qu'on sort à soir?

Yvan a décliné. Il devait assister à l'examen de karaté de son fils. Dans un élan de désespoir, j'ai accepté. C'était suicidaire de me taper une soirée avec Ti-Coq, mais j'avais besoin de ventiler. Il m'a tendu la main pour un *high five*. Nos deux paumes ont claqué.

— Tchaboy!

J'avais proposé à Ti-Coq de passer le prendre en auto, mais il m'a fait comprendre qu'il allait à la chasse et ne comptait pas rentrer seul. Je l'ai donc rejoint à vingt et une heures tapantes au Cougar Bar, une boîte pour cinquantenaires, enclavée dans un centre d'achats au cœur d'un no man's land de banlieue. Il a salué le portier comme une vieille connaissance, a demandé des nouvelles de sa mère à la jeune préposée au vestiaire et s'est dirigé vers le bar avec l'assurance d'un marine en terrain connu.

Je regrettais déjà d'être ici. L'endroit était sombre, éclairé par des *black lights*. On devinait des silhouettes. Les talons hauts et les cheveux teints faisaient le travail, mais au réveil, dans la lumière crue du petit jour, la désillusion de la vieillesse serait brutale. La musique était trop forte et mauvaise. Une pulsation abrutissante avec des voix sans âme et des mélodies convenues. La dernière fois que je m'étais intéressé à la musique, c'était quand Dire Straits avait sorti *Sultans of Swing*.

Ti-Coq a balayé la salle du regard. Il a rapidement repéré deux femmes au bar : une grande blonde et une brunette boulotte. Il m'a fait un signe en leur direction avant de foncer vers elles avec assurance. Il était vêtu d'un élégant col roulé en laine anthracite qui avait cependant le défaut de compacter sa silhouette. Savamment gominés, ses cheveux noirs bouclés luisaient sous les lumières de la piste de danse. Il fallait reconnaître qu'il avait un certain charme. À tout le moins, il avait la volonté de charmer. C'était déjà beaucoup.

Dans mon cas, c'était plus laborieux. Vicky m'avait toujours habillé, car je n'avais aucun goût pour agencer les couleurs et les textures. J'avais opté pour une chemise blanche défraîchie, un jeans banal et un veston noir mal coupé. Enfin, le veston était très bien, c'est moi qui avais pris du bide. Rasé de frais, avec mes bajoues tombantes et ma calvitie non assumée, j'avais l'air de ce que j'étais : un vieux prof désespéré.

Ti-Coq a abordé les filles avec assurance et son plus beau sourire. Il a coordonné les présentations et commandé quatre shooters de vodka. Il agissait rapidement, sans laisser aux filles le temps de réagir. Il est monté à l'abordage de la grande blonde. Assise sur son tabouret, elle était presque à sa hauteur. Sa robe moulante était un fourreau d'où émergeaient des belles jambes nues et fuselées. La peau de ses genoux était malheureusement flétrie. Ses seins étaient spectaculaires ; un prodige de technologie des fluides et de rotondité. Sur la question des seins artificiels, je logeais à la même enseigne que Houellebecq : du point de vue de la femme, il fallait voir ça comme une preuve de *bonne volonté érotique*.

Ti-Coq s'était savamment placé entre la blonde et moi. Il a bien fallu que je m'intéresse à la brunette. Elle avait un beau visage rond et avenant. Sa combinaison une pièce en tissu moulant rayé noir et blanc mettait ses nombreuses courbes à l'avant-plan.

D'après ce que j'avais cru comprendre (la musique était vraiment forte), Isabelle était esthéticienne.

— Toi, tu fais quoi ?

— Prof à l'université.

Pas vraiment compatible. Dans un dernier effort, elle a changé de terrain.

— C'est qui ton artiste préféré ?

— Céline.

— Moi aussi. Je suis allée la voir à Vegas. C'est quoi ta chanson préférée ?

— *Voyage au bout de la nuit.*

— Ah, je la connais pas, celle-là. Moi c'est *Incognito*. Je me reconnais tellement dans les paroles.

— J'en doute pas.

À ce moment, la blonde s'est dépliée pour aller aux toilettes. Dans un rayon de cinq mètres, tous les hommes se sont retournés en même temps pour la regarder. Avec ses talons, elle dépassait Ti-Coq d'une bonne tête. Elle lui a jeté un regard sans équivoque : il était vraiment trop petit. Qu'à cela ne tienne, il s'est rabattu sur la brunette. J'étais bien content d'en être débarrassé. Les deux se criaient des banalités à tue-tête. Comme à son habitude, Ti-Coq disait n'importe quoi. Cette fois-ci, il prétendait qu'on mangeait mal en France.

La blonde est revenue. Il a bien fallu qu'on entre en contact. Lors de la saison des amours, le martin-pêcheur mâle courtise la femelle en lui offrant un poisson à manger. Plus le poisson est gros, plus la femelle a des chances d'accepter les avances. La copulation a souvent lieu par-derrière, alors que la femelle déguste l'offrande de l'heureux élu. Je lui ai commandé un cocktail.

De près, son visage révélait des heures de travaux pour masquer son âge. Elle avait beaucoup de fond de teint. Mais c'étaient ses mains qui la trahissaient. Malgré de beaux ongles au vernis turquoise, les veines et les taches brunes ne pardonnaient pas. Au moins cinquante, peut-être même fin cinquantaine. En ce moment même, elle était probablement en train de serrer les fesses pour ne pas échapper une flatulence. Soudain, j'ai eu une vision d'elle sans artifices ni chirurgie, avec des cheveux et des poils pubiens gris, des rides et des seins ratatinés ; une grand-mère. Nous étions deux mammifères fatigués, impropres à la reproduction, qui persistaient à vouloir séduire.

Sa tête me disait vaguement quelque chose. Quoiqu'avec la teinture, le maquillage et le botox, toutes les femmes finissent par se ressembler. J'avais quand même l'impression de l'avoir déjà vue. Comédienne? Présentatrice météo?

— Fais-tu de la télé?

— Quoi?

Je me suis rapproché pour répéter. Je sentais son parfum vif et fruité. Nos têtes se touchaient presque. En plongée, j'avais une vue imprenable sur la faille de San Andreas dans son décolleté.

— Non, je suis courtière immobilière.

Ça me revenait. L'autoroute était bordée de pancartes avec sa grosse face au sourire crispé. *Équipe Johanne Ross. Trouvez un toit à vos rêves.*

— Ah oui? Je viens de m'acheter un condo.

— Dans quel coin?

Et voilà. Ce n'était pas si compliqué, converser avec une femme. Il suffisait de trouver un sujet qui l'intéressait, de l'écouter activement et de la relancer de temps en temps. Le plus difficile était de ne pas fixer ses seins. En l'occurrence, le sujet qui l'intéressait, c'était sa propre personne. Divorcée, elle avait élevé seule ses deux enfants en suivant des cours de courtage le soir. Elle avait carburé à la psycho pop et autres *Bouillon de poulet pour l'âme.* Après en avoir bavé, elle était maintenant à la tête de quatre vendeurs. L'année dernière, l'équipe Johanne Ross avait eu la plus grosse progression de ventes dans l'est du pays. Son objectif était maintenant d'attaquer le lucratif marché du centre-ville. Nullement intéressant, mais j'avais vraiment envie de faire de la spéléologie dans sa craque de seins. L'alcool me rendait gaillard. Je me demandais ce qu'aurait fait Diogène.

— Ils ont vraiment l'air doux. Est-ce que je peux les toucher ?

Elle a reculé, choquée. J'ai enchaîné :

— Je parlais de tes cheveux.

Rassurée, elle a incliné la tête. Effectivement, elle avait les cheveux doux. Tout ça ne menait à rien. Diogène aurait probablement choisi ce moment pour se branler devant elle. Elle a sorti un magazine de sa sacoche.

— Tiens, si jamais tu veux venir sur la Rive-Sud.

MJR. Magazine Johanne Ross. J'ai cru que c'était une blague et j'ai failli éclater de rire. Sur la couverture glacée, on la voyait habillée d'un chic tailleur devant une grosse baraque kétaine. Sécateur en mains, elle faisait mine de tailler un buisson. *Spécial aménagement paysager.* J'étais sans mot. Elle a renchéri.

— C'est un trimestriel. Déco, tendances, architecture, *house staging* : je vends pas juste des maisons, je vends un *way of life*.

À quoi bon publier des études sur le cynisme que personne ne lirait ; les gens avaient dorénavant des magazines à leur nom. Il fallait maintenant investir en soi (les implants étaient sans doute un très bon placement) et se gérer comme une marque. Décidément, j'étais resté enfermé trop longtemps à l'Université ; je manquais d'outils pour décoder le réel.

Johanne ne m'accordait plus d'attention. Elle fixait avec des yeux brillants un chauve baraqué qui venait d'arriver au comptoir d'en face.

— C'est qui, lui ?

Elle a répondu sans le quitter des yeux.

— Michel Hassad. Le plus gros chiffre d'affaires de l'est du pays. Le centre-ville, c'est à lui.

Je n'avais aucune chance contre un agent d'immeubles. Je me suis esquivé aux toilettes. À mon retour, Michel avait rejoint Johanne et ils trinquaient au champagne. Ti-Coq hurlait *Le vaisseau d'or* à l'oreille de la boulotte. Je n'avais plus rien à faire ici.

*

Dans la classe silencieuse, on n'entendait que le raclement des stylos sur le papier. L'examen était facile, mais les étudiants avaient quand même l'air soucieux. Ça faisait du bien de les voir plancher. Dépouillés de leur ordi et de leur téléphone, ils faisaient moins les malins. Entre le travail et les fêtes de fin de session, la plupart n'avaient pas eu le temps d'étudier. Dans le fond à droite, Steeve cochait les cases à toute vitesse. Après une rapide révision, il a ramassé ses affaires, avant de venir déposer sa feuille sur mon bureau. Il m'a fait un clin d'œil en sortant comme un prince.

Après l'examen, j'ai regagné mon bureau. Mon dos me faisait atrocement souffrir. Je marchais avec précaution, comme si j'avançais sur la glace d'un lac au printemps. J'étais tout simplement trop vieux pour la violence du badminton. Attablés en équipe dans le corridor, j'ai reconnu des étudiants de Georges, aux prises avec son fameux test où tout était permis. J'ai ralenti le pas pour les observer.

Ils étaient huit dans le même bateau. Sans autorité légitime, il est très difficile d'organiser un groupe. Ils parlaient tous en même temps et tentaient d'établir une marche à suivre. Ils n'arrivaient même pas à déterminer la question à laquelle ils allaient répondre. L'horloge tournait et la barque commençait à prendre l'eau. La panique gagnait l'équipage. Florent Bourdon, un type énergique avec une barbe et un anneau dans le nez, s'est autoproclamé capitaine en parlant plus fort que tout le monde.

— OK, vos gueules, sinon on va être encore ici à Noël. On va prendre la question sur le XIXe. Pat, t'es bon là-dedans. Tu vas faire la recherche sur le Net avec Manu, Jay pis Maude. Marie pis Gab, vous allez à la bibli. Ramenez vos notes dans une heure. Moi je vais rédiger, Mel, tu vas corriger les fautes.

Soulagé d'avoir un chef aux commandes, tout le monde s'est mis au travail. Bourdon était un rusé qui faisait faire son bac par les autres. Un camion de charisme à qui on ne pouvait rien refuser. Même les profs étaient sous le charme. Dans un cours sur le roman, je me souvenais de lui comme d'un fainéant assis au fond de la classe, toujours à pianoter sur son téléphone pour préparer le prochain party. Juste avant la pause, il prenait la parole en posant une question, qui était en fait une reformulation de ma dernière phrase.

— Si je comprends bien, René, en gueulant son texte à voix haute, Flaubert vérifiait que ça sonne comme une tonne de briques. Comme les rappeurs, dans le fond.

— Exactement, Florent.

C'était très habile. Il montrait à tout le monde qu'il était présent et qu'il avait tout compris. Invariablement, il profitait de la pause pour s'éclipser au café étudiant. Encore cette fois, il s'en tirait très bien. Je l'ai vu marcher vers la machine à liqueurs en sifflotant pendant que ses confrères étaient courbés sur leur ordi.

Je suis passé par le département de philo pour voir Georges. En tournant le coin, je suis tombé sur Sylvain Darveau, qui fouillait dans un bac à recyclage. Personne n'avait voulu se mettre avec lui pour l'examen de Georges. Mendiant intellectuel, il en était réduit à trouver ses réponses dans les poubelles. Je me souvenais de lui en métho, incapable d'aligner deux mots sans fautes. Un pauvre type dans la trentaine, sans cégep, admis au bac sur la base de l'*expérience pertinente*. En vérité, il n'obtiendrait jamais son diplôme et Dragon aurait dû le foutre à la porte. Mais le département avait désespérément besoin d'étudiants et l'Université était très heureuse de percevoir la subvention gouvernementale attachée à sa tête.

Sur la porte du bureau de Georges, une affiche avec un portrait de Confucius disait : « Exige beaucoup de toi-même et attends peu des autres. » J'entendais la dactylo cliqueter. J'ai cogné. La dactylo s'est tue.

— Entrez.

J'adorais le bureau de Georges. C'était le plus grand du département. Situé dans un coin, il était en retrait de l'agitation départementale, comme une enclave hors du monde et du temps. Ça sentait la cigarette. Personne ne l'avait jamais vu fumer, mais Georges restait souvent travailler le soir et la fin de semaine.

L'odeur de la fumée me rappelait mon père. Après chaque repas, il sortait une blague à tabac de sa poche de chemise et roulait en silence une cigarette de ses gros doigts souillés de sang. Mes deux frères plus vieux avaient quitté la table, ma mère faisait la vaisselle, et moi, je restais assis pour le regarder fumer. Quand il enflammait la cigarette avec une allumette en bois, c'était le moment où je pouvais le mieux voir son visage. Une peau prématurément ridée par un travail dur. Des yeux songeurs et très doux. Comment pouvait-il supporter l'enfer de l'abattoir ?

— À quoi tu penses, papa ?

Le regard fixé à la fenêtre, il répondait en soufflant la fumée :

— À rien.

L'âme de mon père était insaisissable, comme la fumée de ses cigarettes.

Par les fenêtres du bureau de Georges, on voyait la nuit tomber sur le campus. Les arbres décharnés se battaient avec le vent. Au loin, les lumières s'allumaient dans les résidences étudiantes. La pièce était remplie de livres. À part les fenêtres du coin, les quatre murs étaient couverts d'ouvrages de toutes sortes. À chaque visite, j'avais l'impression que les livres s'étaient multipliés comme des bactéries. Sur le bureau, des piles de volumes et de documents formaient une muraille compacte. Une clairière était dégagée au centre pour la dactylo, une antique Underwood qui souriait de toutes ses dents. Dans un coin de la pièce, un ordi coiffé d'une housse accumulait la poussière.

— Qu'est-ce que tu fais ?

— Une lettre pour la Société de linguistique de Paris.

Georges était membre de plusieurs organismes obscurs et prestigieux, avec lesquels il entretenait une correspondance assidue. Il faisait tout cela à la main, avec un décorum d'une autre époque. Plusieurs jeunes profs considéraient Georges comme un dinosaure. C'était en réalité un requin, véritable fossile vivant, impeccable assemblage d'ailerons et de cartilages, capable de résister à la pression la plus intense. À la surface, le monde avait changé ; les dinosaures avaient disparu et lui était toujours là, naviguant dans la profondeur des abysses, n'ayant pas évolué depuis le crétacé. Lorsqu'il recevait un courriel, Louise le lui imprimait.

Son bureau était l'objet de toutes les convoitises. En vertu de son statut de star du département, La Pute était au centre de tractations pour hériter de la pièce au départ de Georges. Mais il allait devoir être patient ; certains requins peuvent atteindre quatre cents ans et la plupart n'ont pas de prédateurs naturels.

Je regardais les ouvrages dans la bibliothèque. La dactylo s'est remise en marche. Avec Georges, c'était comme ça. On pouvait le visiter à tout moment, on ne le dérangeait jamais, mais la Terre ne s'arrêtait pas de tourner pour autant. C'était sécurisant ici. Je m'y sentais nostalgique d'un autre temps. Une époque plus simple, qui me ramenait en enfance, où un seul salaire suffisait à faire vivre une famille, où l'on pouvait rouler en grosse voiture sans remords et sans s'attacher, et où les terroristes prenaient leurs victimes en otage au lieu de les abattre.

Tout en feuilletant René Char dans la Pléiade, j'ai laissé tomber :

— Le tricheur à qui j'ai mis zéro, il veut 70. Sinon, il m'accuse publiquement de racisme. Tu ferais quoi à ma place ?

La dactylo s'est arrêtée. Je me suis tourné vers lui. Je ne voyais pas ses yeux derrière ses grosses lunettes carrées.

— Choisis tes combats.

La dactylo est repartie. J'ai replacé René Char et j'ai ouvert Sénèque au hasard. Un vers disait : « L'effort est l'apanage de l'élite. »

*

J'avais invité mon fils à souper. Pas que j'avais particulièrement envie de voir ma descendance, mais la paternité exige un minimum de service après-vente. Armé de mon couteau Kasumi, je tranchais des légumes pour un sauté au wok. Une fugue de Bach jouait à la radio. On se serait cru dans une publicité d'assurances.

Mathieu est entré sans cogner.

— *What's up, pops!*

— Salut, mon gars.

Il a marché vers moi avec énergie. C'était un beau garçon aux cheveux noirs lissés vers l'arrière, avec de grands yeux et un large torse. Chez l'humain, les critères universels de beauté sont la symétrie et la proportion. Il avait hérité des deux paramètres par sa mère. Génétiquement, je ne lui avais rien légué ; tous mes gènes avaient capitulé devant ceux de Vicky.

J'ai posé mon couteau et je me suis essuyé les mains sur mon tablier pour le saluer. Notre étreinte

51

était chaleureuse mais machinale. Mathieu a pris une photo de nous deux.

— *Smile, pops.* T'as l'air *dead.*

J'ai plaqué un faux sourire. Il a repris sa photo et, satisfait, l'a twittée avec la légende : *Dinner with my dad.*

— Cool, t'as fait un sauté.

Il a croqué un céleri. C'était la première fois qu'il venait au condo. Il a fait le tour en inspectant tous les détails. Il a fait couler l'eau dans la salle de bain.

— Vraiment *nice.*

Il s'est arrêté devant le triptyque de Pellan.

— T'as ramené tes *chicks* dessinées par un kid ?

Il a pris une photo des sérigraphies, avant d'en faire une publication Snapchat.

Je trouvais très intrusive cette façon de partager mon intimité sans mon consentement. Mais à quoi bon regimber ; Mathieu était né dans un autre paradigme. Il a fêté son dixième anniversaire le jour du lancement de Twitter. Son cerveau n'était tout simplement pas configuré comme le mien. Il évoluait dans un autre espace-temps, un pied dans le réel, l'autre dans le virtuel. Comme une mouche, il butinait entre les deux univers, incapable de se poser. Il tenait son inépuisable énergie de Vicky. Comme elle, il croisait la jambe très haut en faisant frétiller son pied. Même assis dans le divan avec un verre de vin, il était toujours en mouvement, vérifiant son téléphone toutes les dix secondes.

— Vraiment *slick*, le condo, *pops.*

— Et toi, quoi de neuf au boulot ?

— C'est pas mal le *rush.* On finit un gros *video game.* Ça fait deux ans qu'on travaille là-dessus. Ça va être *huge.*

— Qu'est-ce que tu fais au juste là-dedans ?

— *Lead game designer.*

— Mais encore ?

— Je suis dans le *core team*. Je m'occupe du *game play* pis du *level design*.

J'avais toujours eu de la difficulté à communiquer avec mon fils, mais là, on était dans l'Himalaya de l'incompréhension. Nous sommes passés à table. J'avais fait les choses comme il faut : nappe blanche, serviettes assorties, chandelles et carafe à vin. Accompagné d'une salade de fenouil aux clémentines, le sauté était vraiment réussi, avec des pointes de gingembre et de citronnelle.

Mathieu s'empiffrait à toute vitesse. On entendait les ustensiles cliqueter dans le silence. Quand il était petit, on se parlait tout le temps. Moi qui avais tant voulu percer la muraille de mon père, j'avais entretenu avec soin les ponts avec mon enfant. Il était très curieux et voulait tout savoir sur tout. Il me questionnait régulièrement sur les origines écossaises de notre famille. Même si mon grand-père Fergus McKay avait été un authentique salaud alcoolique et violent, je le présentais comme un immigré courageux, descendant direct du grand chef de clan Magnus. À huit ans, Mathieu a signé les textes et les dessins d'une histoire de druides gaéliques intitulée *Le dolmen enchanté*. Impressionné par la précocité du talent littéraire de mon fils, j'avais photocopié et relié son œuvre en dix exemplaires, qu'il avait vendus aux voisins.

Au coucher, je nourrissais son imaginaire avec des histoires de mon cru. Moi qui n'avais jamais été touché par mon père, je profitais de ce moment où, allongé dans son lit, je pouvais lui flatter les cheveux à loisir. Inspiré par Tolkien, j'avais inventé un univers qui déployait ses légendes dans des mondes peuplés de magie et de créatures fantastiques. Je pouvais rester au moins une demi-heure dans son lit. Emporté par ma narration, je continuais sans m'apercevoir qu'il s'était endormi. Mettant en vedette le chevalier Gayatt et le voleur Pricouille, l'histoire se poursuivait soir après soir, en un feuilleton qui s'était étiré sur plusieurs années.

Jusqu'à ce que Vicky lui offre un iPhone à son onzième anniversaire. À partir de là, il m'a glissé entre les doigts et Internet s'est chargé de son éducation. Alors que je plongeais dans les classiques de la littérature, il butinait sur la toile en ouvrant plusieurs fenêtres à la fois. Captivé par le génie des autres, il n'a plus jamais rien créé.

Avec le temps, nos continents ont lentement dérivé, s'éloignant l'un de l'autre, jusqu'à devenir deux mondes complètement autonomes et différenciés. Au jour d'aujourd'hui, nous n'avions plus aucune référence commune. Nous ne parlions même plus la même langue.

— *Awesome*, ton sauté, *pops*. Tu *ownes* solide le Tiki. C'est toi qui as fait ça?

— Absolument. J'ai trouvé la recette sur Internet.

— Si t'aurais *cook* comme ça à *mom*, elle t'aurait jamais laissé.

En tant que prof de littérature, j'aurais aimé que mon fils puisse s'exprimer minimalement en français. Je ne demandais pas d'alexandrins, mais une phrase simple avec sujet, verbe et complément. J'en avais fait mon deuil depuis longtemps. Non seulement avait-il toujours confondu l'imparfait et le conditionnel, il ne prenait même plus la peine de conjuguer les participes passés.

— As-tu des nouvelles de ta mère?

— *She's all right*. Elle travaille beaucoup. En fait, je l'ai jamais vue aussi cool. Je devrais peut-être pas te dire ça, mais elle voit quelqu'un.

— Qui ça?

— Je sais pas trop, un *dude* de sa job.

— Eh ben. Elle n'a pas perdu de temps. Tant mieux pour elle si elle est heureuse.

J'ai essayé de paraître détaché, mais ma voix tremblait. J'ai pris une longue gorgée de vin.

— *What about you, player?* Vois-tu quelqu'un?

— Non. Toi?

— Des *chicks*, y en a partout. Mais rien de sérieux.

Nous avons vidé nos verres pour meubler le silence.

— Je peux-tu en reprendre, c'était *fucking* bon.

Il me tendait son assiette vide. Comment savoir si j'étais le père de ce garçon? À part notre amour pour le sauté asiatique, nous n'avions plus rien en commun. Il est parti après sa deuxième assiette, prétextant des amis à rejoindre pour un spectacle. Je ne l'ai pas retenu. En un peu moins de deux heures, entre nous, tout avait été dit.

J'avais beau tenter de me convaincre du contraire, le bonheur de mon ex me troublait. J'aurais aimé qu'elle se morfonde elle aussi. C'est vrai que je lui souhaitais d'être heureuse, mais le fait qu'elle le soit avant moi m'incommodait. Mon fils m'avait brutalement rappelé que c'était elle qui m'avait laissé. Dans les faits, j'avais eu l'intention de la quitter depuis longtemps, mais je n'avais pas eu l'audace de la tromper ni le courage de m'en aller. Un vrai gars. J'ai laissé moisir la relation avant qu'elle ne devienne insupportable pour Vicky.

Maintenant que j'en étais débarrassé, je m'ennuyais. À vrai dire, c'est mon corps qui s'ennuyait. Savoir qu'un autre la touchait me la rendait terriblement désirable. Le souvenir de ses grosses fesses frétillantes débordant de son string m'excitait épouvantablement. La mémoire des sens est tenace. Je me souvenais par exemple de la fréquence exacte de sa voix, qui à la fin m'était devenue insupportable. Dès que je l'entendais parler, je changeais de pièce. Un réflexe pavlovien qui rendait toute communication impossible. Le bruit sec de ses talons sur le bois franc m'avait rendu fou. Elle avait la vitalité des mammifères et moi j'étais un reptile à sang froid.

Lorsqu'ils sont frustrés sexuellement, les drosophiles mâles ont tendance à privilégier les aliments contenant de l'alcool. Affalé sur le divan, je buvais à même la bouteille de vin. Toutes les lumières du condo étaient éteintes. Vicky aurait flippé, elle qui allumait même en plein jour. À travers les grandes vitres du salon, je regardais la ville s'animer. Cette ville dont Vicky et moi avions tant sucé la sève à nos débuts. Avant le mariage, nous sortions presque tous les soirs pour voir de quoi le monde était fait.

Elle venait d'être nommée chargée de compte dans sa boîte de pub et son travail consistait essentiellement à rendre les clients heureux; avec tout ce que cela comportait de comptes de dépenses et de folles soirées. Pendant quatre années, nous nous sommes consumés comme des feux de Bengale dans la nuit. J'étais choqué par la décadence du monde publicitaire. Trop de fric, trop de coke, trop d'ego satisfaits.

Un soir de fête dans un restaurant branché, nous étions réunis avec des clients pour boire de la vodka dans une chambre de dégustation. Il s'agissait d'un congélateur dont les murs en glace étaient percés d'alcôves illuminant des bouteilles de vodka du monde entier. Vêtus d'anoraks, nous avions trinqué avec des représentants d'une compagnie de savon à vaisselle. L'un d'eux avait brandi son verre en lançant:

— *It's good to be us.*

À la naissance de mon fils, j'en ai eu assez de la fatuité des publicitaires et je me suis replié dans la littérature. Au retour de son congé de maternité, Vicky est devenue actionnaire de sa boîte. Elle a commencé à faire beaucoup d'argent. Elle est devenue obsédée par l'avoir et le paraître. Toutes les semaines, elle ramenait des nouvelles robes et des chaussures neuves. Les garde-robes débordaient et les objets s'accumulaient jusqu'à traîner partout. Quand je le lui faisais remarquer, elle se fâchait et me traitait de chialeux déprimé. J'étais Diogène au fond de son tonneau; elle était Alexandre qui me cachait le soleil.

Et maintenant, dans mon beau condo zen, j'étais désespérément seul et je ne savais plus comment entrer en relation avec les gens, les femmes encore moins. J'étais resté trop longtemps dans mes livres et je n'avais plus dragué depuis trente ans. La drague est un jeu de jeunesse dont le but ultime est la reproduction. Passé un certain âge, tout ça devient inutile. Le jeu devient trop compliqué, les ficelles dépassent, grosses comme des câbles, et la motivation n'y est plus.

*

Je suis passé à mon bureau une dernière fois avant le congé des fêtes. À part quelques étudiants étrangers qui n'avaient nulle part où fêter Noël, l'université était déserte. J'aimais ces longs corridors apaisants et silencieux. Un type nettoyait les planchers avec une grosse machine qui émettait un bourdonnement rassurant. Dans son sillage, le sol était impeccable. En voilà un qui méritait son salaire.

J'ai fait un détour par le département de génie. Dans des présentoirs vitrés, j'admirais les réalisations des étudiants: un sous-marin à pédales, la fameuse chaise roulante à chenilles, une auto de course solaire et un nouveau composé d'asphalte avec du caoutchouc, qui résistait au gel, aux fondants et aux abrasifs. Voilà des travaux plus utiles que des recherches sur le cynisme en littérature française.

À part Louise qui montait la garde au secrétariat, le département était vide.

— Bonjour, monsieur McKay. Fêtez-vous Noël en famille?

Piégé, j'ai répondu sans réfléchir.

— On va dans la famille de ma femme. Et toi?

— C'est nous autres qui reçoit. J'ai même pas commencé mes tourtières.

— Je ne suis pas inquiet pour toi.

— Joyeux Noël à vous. Profitez-en pour vous reposer.

— Oui, c'est ça. Qu'il soit joyeux, ce Noël.

Qu'est-ce qui m'avait pris de m'inventer un réveillon chez mon ex? Mon divorce n'avait rien de honteux. La vérité, c'est que je n'avais rien prévu pour Noël et que c'était plus simple de mentir que d'expliquer pourquoi. Le temps des fêtes en est un de traditions bien huilées et n'en déroge pas qui veut sans devoir fournir des explications. Louise était une bonne madame, mais je n'avais pas le goût de m'épancher sur ma solitude et mes malheurs.

J'ai pris mes courriels à mon bureau. Dragon voulait savoir ce que j'avais décidé dans le dossier Mamadou Traoré. J'ai répondu laconiquement que j'acceptais sa proposition : il aurait 70, mais je ne voulais plus l'avoir dans mes cours. Yvan nous faisait parvenir le bulletin syndical en PDF, en insistant pour que nous lisions la partie sur la convention collective. Qui lirait vraiment ça durant le congé des fêtes? Dragon, assurément. Georges, par curiosité, pour analyser la sémantique d'une communication organisationnelle. La Pute, pour voir si on parlait de son nouveau projet de recherche. Peut-être Ti-Coq, pour vérifier si on avait tenu compte de ses suggestions sur la présence aux réunions départementales. Quatre profs sur vingt-deux. À peine 20 % du public cible. Décidément, on ne pouvait pas qualifier le bulletin syndical d'outil de communication efficient.

De l'autre côté de la porte, j'ai entendu des voix dans le corridor. J'ai reconnu celle de Ti-Coq.

— Ici, c'est René.

— Celui qui était avec toi au bar?

J'ai compris qu'il faisait faire le tour du département à l'esthéticienne boulotte de l'autre soir.

— En plein ça.

— Il n'est pas tellement jasant.

— Non, mais c'est un brillant. C'est mon meilleur ami au département. Il peut être très drôle.

— «Le cynique est celui qui, lorsqu'il sent un parfum de fleurs, cherche le cercueil.» Moi je trouve pas ça drôle pantoute.

Elle avait lu la citation de Mencken qui ornait ma porte.

— C'est son humour. Faut le connaître… Et ici, c'est mon bureau…

Une clef a joué dans la serrure et les voix se sont estompées. C'est toujours troublant de surprendre une conversation à son sujet. La vérité est comme le soleil : on ne peut pas la regarder en face sans se brûler les yeux. J'étais surpris d'apprendre que Ti-Coq m'estimait à ce point. Je ne l'en méprisais pas moins pour autant.

J'ai attendu un peu et j'ai filé en douce. Dans le bureau de Ti-Coq, ça foufounait ferme. On entendait des râles et des gémissements. Ti-Coq faisait les mêmes sons qu'au badminton.

Dehors, il neigeait furieusement. Le général hiver avait finalement lancé son assaut. La bataille s'annonçait éprouvante et interminable.

*

Les zoologistes distinguent trois sortes de prédateurs : le chasseur actif, le chasseur à l'affût et le chasseur passif. Ti-Coq relevait clairement de la première catégorie. Guépard acharné, il poursuivait les antilopes jusqu'à la capture. En ce qui me concerne, j'étais du type passif ;

une anémone de mer à la dérive, attendant que le plancton vienne à moi. Ma sortie au bar avait même révélé des tendances de charognard, c'est-à-dire une propension à me nourrir de proies délaissées par un chasseur actif. Pas très glorieux, tout ça, mais surtout, inefficace. J'étais résolu à modifier mon statut dans la chaîne alimentaire. Il fallait me faire à l'idée, je n'aurais jamais l'assurance et le panache d'un chasseur actif. Mais je pouvais aspirer au titre de chasseur à l'affût, catégorie plus enviable dont faisaient partie les araignées.

Calé dans le divan avec un verre de pineau des Charentes, je fixais l'écran de mon ordi. J'ai laissé rouler une gorgée onctueuse et glacée dans ma bouche, j'ai soupiré longuement avant de cliquer sur l'onglet *Inscrivez-vous*.

Le site de rencontre posait des questions très simples. Vous êtes : ◎ un homme ◎ une femme. Vous cherchez : ◎ un homme ◎ une femme. Deux paramètres, quatre possibilités ; les relations humaines obéissent aux mathématiques. J'ai mis une demi-heure à compléter mon profil. Ainsi, je me considérais comme *plutôt peu* performant, *pas vraiment* séduisant, *pas du tout* optimiste, *pas vraiment* enjoué, mais *tout à fait* sincère et *tout à fait* conscient de mes qualités et de mes défauts. En contrepartie, j'estimais *très importants* le *sex appeal* et l'apparence physique de la personne recherchée. Trois choses importantes dans ma vie : faire l'amour, lire, réfléchir. Trois lieux où je me sentais bien : mon lit, la bibliothèque, mon bureau. Tout cela se tenait.

Il était précisé qu'un profil avec photo avait huit fois plus de chances de générer des réponses. J'ai retrouvé la photo de ma notice biographique sur le site de l'Université. Elle datait quand même de quelques années. J'avais les joues moins tombantes et un peu plus de toupet. Mais mon regard était suffisamment inexpressif pour révéler toute l'apathie de ma personnalité. On ne pourrait pas m'accuser de fausse représentation.

J'étais absolument conscient du ridicule de ma candidature. Mais j'avais décidé de jouer la carte de la franchise jusqu'au bout. En m'abonnant maintenant, je bénéficiais du tarif préférentiel des fêtes : cent vingt dollars pour trois mois.

Et voilà, ma toile était tissée. Ne restait qu'à attendre les mouches.

*

À mon réveil, j'ai saisi mon téléphone pour vérifier si j'avais été contacté. Évidemment, rien. Mais mon profil avait été visité deux fois. La ville était ensevelie sous la neige. La lumière d'hiver était éblouissante. Dans le parc, des enfants construisaient un fort. D'autres glissaient sur la colline. J'ai vu passer mon voisin avec son fils dans un harnais dorsal. Chaussé de raquettes techno, il filait à bon pas dans la neige fraîche ; improbable croisement entre un hippocampe et un lagopède.

Il faisait beau. C'était le début des vacances de Noël. Les gens étaient heureux. Pourquoi pas. J'ai déjeuné en vitesse, avec comme projet d'aller pelleter l'entrée du condo. Prendre l'air. Rendre service. Accéder au *laisser-être* de Heidegger, que la psycho pop avait rebaptisé *lâcher-prise*. Je n'avais pas fait ça depuis trop longtemps.

Dehors, les marches et l'allée du condo étaient complètement déblayées. Armé de ma pelle en aluminium avec un manche ergonomique, j'arrivais comme la cavalerie après la bataille. Heureusement, en face du moi, une auto était embourbée dans la neige et ses roues tournaient dans le vide avec un hurlement strident. J'allais pouvoir me rendre utile. J'ai fait signe au chauffeur que j'allais l'aider. Appuyé sur le pare-chocs arrière, je poussais de toutes mes forces. Rien à faire, les roues patinaient en creusant des sillons. À bout de souffle, je me suis dirigé vers le conducteur. Un jeune Maghrébin en survêtement de sport a baissé la vitre. Probablement son premier hiver. Haletant comme un asthmatique, j'ai soufflé :

— Donne moins de gaz. Il faut faire osciller l'auto.

— OK. Merci monsieur.

Je suis retourné à mon poste. À force de balancer l'auto, les sillons ont fini par s'allonger sous les roues. Dans un ultime effort, j'ai poussé de tout mon être en grognant comme une bête. Un éclair de douleur a zébré le bas de mon dos. L'auto s'est finalement déprise. Par la vitre baissée, le conducteur s'est dévissé la tête pour me regarder.

— Merci, monsieur. Salam alaykoum. Joyeux Noël.

Il est parti en me remerciant de deux coups de klaxon. En levant le bras pour le saluer, un nerf s'est coincé dans mon dos et je me suis écroulé à quatre pattes. Immobile dans le banc de neige, j'étais incapable de bouger. Je serrais les dents pour mordre dans la douleur.

— René ? Attendez, je vais vous aider. Qu'est-ce qui s'est passé ?

Mon jeune voisin en raquettes était penché sur moi pour m'aider à me relever. Dans son dos, son fils gazouillait de bonheur, les joues rouges comme des cerises.

— C'est rien, j'ai dépris un char et mon dos a pas aimé ça.

En prenant appui sur lui, j'ai réussi à me rendre jusqu'à ma porte.

J'ai mis cinq minutes à enlever mes bottes. Heureusement, il me restait du Vicodin. De la salle de bain, j'ai titubé jusqu'au salon pour m'affaler sur le divan. Dans *L'éternel retour*, Nietzsche propose d'envisager la maladie comme une occasion de saisir le moment présent. En ce moment, rien d'autre n'importait que ma douleur. Au diable Heidegger et son laisser-être. Je ressentais toutes les terminaisons nerveuses du bas de mon dos envoyer des signaux de souffrance paniqués à mon cerveau. Couché sur le dos, une jambe repliée, j'ai sombré dans un sommeil engourdi. Voilà comment j'avais été récompensé pour avoir voulu jouer les bons samaritains.

Mon père avait payé plus cher que moi sa générosité envers son prochain. Alors qu'il revenait de son dernier jour de travail à l'abattoir avant de prendre sa retraite, il s'est arrêté sur l'accotement pour aider un automobiliste à changer un pneu crevé. Trimant trop près de la route, il s'est fait faucher par une auto. Il est mort sur le coup. On ne pouvait pas trouver de fin plus injuste. Comment un croyant ayant vécu dans la plus stricte obédience des commandements de sa religion pouvait-il être puni de la sorte? En ce qui me concerne, cette sinistre malchance prouvait hors de tout doute l'inexistence de Dieu. Ma mère, au contraire, a radicalisé sa foi après ce drame. Elle s'est repliée dans une bigoterie fataliste, affirmant qu'il fallait se soumettre à la volonté du Seigneur et que son mari avait gagné son ciel. J'étais furieux. Furieux du destin tragique de mon père, qui n'a jamais pu profiter de sa retraite au terme d'une vie harassante, et furieux contre la croyance aveugle de ma mère en une religion charlatane qui nous avait trahis. Ne pouvant plus supporter d'être membre d'une secte millénaire, j'ai officiellement apostasié au lendemain des funérailles. À l'annonce de mon abjuration, ma mère a explosé de rage. Elle a même entrepris des démarches pour me faire exorciser. Entre nous, les ponts sont brûlés depuis. C'était en 1985, Gorbatchev entamait la perestroïka en

URSS et j'avais vingt-quatre ans. J'ai trouvé refuge dans l'anticléricalisme d'Arthur Buies, à qui j'ai consacré une volumineuse thèse de doctorat.

*

Je n'avais pas souvenir d'un temps des fêtes aussi misérable. J'étais immobilisé sur mon divan. Comme Thierry Lhermitte dans *Le dîner de cons*, le con en moins. J'ai beaucoup lu, surtout le magazine de Johanne Ross. Un article consacré à la valorisation résidentielle m'a particulièrement plu. Il y était question de désencombrement, de neutralisation et de dépersonnalisation. Je découvrais un tout nouveau champ sémantique. Roland Barthes aurait adoré.

À la radio, j'ai entendu La Pute. Il avait été invité en tant qu'expert pour tracer le bilan et esquisser les perspectives des médias sociaux. Vaste programme. Le compresseur du micro de la station ajoutait de la basse à sa voix déjà grave et chaude. Son propos était un sirop de lieux communs tautologiques et de raccourcis honteux. Mais l'animatrice était sous le charme et lui-même s'écoutait ronronner avec satisfaction. Je le détestais à en grincer des dents. J'aurais tellement aimé lui donner la réplique pour le tailler en pièces. Pourquoi c'était jamais moi qu'on invitait à la radio ? Évidemment, je n'avais pas son réseau. Sa femme travaillait à la télé publique et il faisait régulièrement office de sacoche lors d'événements mondains. Moi, mon réseau se résumait à Georges, un ermite branché sur la philologie médiévale et des cadres conceptuels des années trente.

Allongé sur le divan, j'ai quand même écrit un courriel courroucé à la station de radio.

À qui de droit,

Je viens tout juste d'entendre Stéphane Richard à votre émission. Ce type est un charlatan,

64

un imposteur, un frimeur fat, indigne de la radio d'État. Son recours à McLuhan pour décoder le fonctionnement des médias sociaux relève de la grossière esbroufe pour masquer le vide de sa pensée. Basé sur l'émetteur, ce cadre d'analyse vieux d'un demi-siècle est absolument inapte à expliquer le discours d'un réseau multipolaire et anonyme. Votre complaisance à l'égard de cette fraude intellectuelle illustre parfaitement la déliquescence du service public au profit d'un prêt-à-penser racoleur drapé dans des oripeaux pseudo-scientifiques.

Recevez l'expression de mes sentiments les plus outrés,

Jean

Tout ça n'avait aucun but, mais ça faisait du bien de me défouler sous un faux nom. Après tout, la lâcheté anonyme était le propre des médias sociaux.

Brouillé avec ma mère depuis la mort de mon père, divorcé, coupé de mon fils : pour la première fois de ma vie, j'étais seul à Noël. Il a bien fallu que je fasse quelque chose le soir du 24. Dans un sursaut de nostalgie désespéré, j'ai mis un veston de velours noir et je suis allé à la messe de minuit. L'air de la nuit était sec et vif. La neige réverbérait la lumière des décorations multicolores.

La fééerie des Noëls de mon enfance me revenait en mémoire. À l'époque, toute la famille se réunissait chez papy Fergus. Avec mes deux frères et mes cousins, il fallait se coucher tôt. La messe était un chemin de croix avant l'épiphanie des cadeaux. Je m'endormais dans le lit de ma tante, avec les draps de Charlie Brown qui sentaient bon. Entouré de ses amis, le perdant sympathique affirmait dans un phylactère jaune :

Happiness is being one of the gang. C'est à l'adolescence que j'ai saisi le sens de cette phrase. *A contrario,* le malheur c'est d'être seul. C'était probablement pour ça que j'allais à la messe ce soir. À cause de Charlie Brown.

J'ai coupé par le parc pour gagner l'église. J'avais encore mal au dos et j'avançais comme un vieillard au pas incertain. Les chrétiens du quartier répondaient à l'appel du Christ. Je ne savais pas que nous étions si nombreux. Société laïque mon œil.

Je n'avais plus assisté à la messe de minuit depuis mon apostasie. Rien n'avait changé. La chorale accueillait les visiteurs avec *Çà, bergers.* Le prêtre, débonnaire et bedonnant, rayonnait. Tout le monde s'était mis beau. Il y avait des madames avec des manteaux de fourrure. Et les adolescentes maquillées étaient terriblement désirables dans leur robe de soirée.

Je me suis assis à l'arrière, avec les autres esseulés. Le prêtre a pris la parole pour radoter la même histoire de la nativité. Je trouvais qu'on faisait beaucoup de cas d'un charpentier cocufié par un courant d'air. Les catholiques ont tellement peur du plaisir qu'ils affirment sans rire que Marie a pu procréer dans la virginité. Au moins, les Grecs assumaient pleinement que la mère d'Héraclès se soit fait engrosser par Zeus.

Le sens de la vie et l'angoisse de la mort. Essentiellement les deux questions auxquelles tentait de répondre toute religion. En ce qui me concerne, la théorie de l'évolution avait tout réglé : chaque être vivant a comme unique finalité la transmission de ses gènes. C'est tout. Elle est là, l'immortalité : ajouter son maillon dans une chaîne génétique immémoriale. Il n'y a rien d'autre à comprendre ni à espérer. Pour l'être humain, la finalité d'une vie consiste à élever des enfants jusqu'à ce qu'ils puissent se reproduire. Mathieu avait vingt ans. Génétiquement, j'avais atteint mon but. Je n'étais plus nécessaire au destin de l'humanité.

66

Au cours de la quête, les marguilliers ont parcouru les allées pour collecter les dons des fidèles. La poche de velours rouge destinée à recueillir l'argent était fixée au cadre d'une raquette de badminton. Qui a dit que l'Église était incapable d'innovation? J'ai donné vingt dollars.

Après ça, le prêtre a sorti l'encensoir, qu'il maniait d'une main experte et vigoureuse. Une capiteuse fumée s'est répandue dans toute l'église en volutes paresseuses. Quand j'étais enfant, cette odeur me levait le cœur autant qu'elle me réjouissait. C'était le signal que la messe tirait à sa fin et qu'on allait bientôt déballer les cadeaux. J'avais toujours aussi mal au cœur, mais je n'avais plus de cadeaux à déballer.

Au signal, les croyants ont docilement fait la file pour recevoir le corps du Christ. Dans ma jeunesse, j'adorais déguster l'hostie, que je plaquais sur mon palais pour la laisser fondre. Jusqu'à ce que ma mère s'en aperçoive avec colère. Après ça, elle m'inspectait toujours la bouche pour m'assurer que j'ingère Jésus convenablement. À présent, je regardais tout ça de mon banc, complètement imperméable aux rites sinistres d'un culte glorifiant le cannibalisme et la crucifixion.

Ensuite, le prêtre a exhorté les ouailles à se souhaiter joyeux Noël. J'avais toujours aimé ce moment de fraternité avec des inconnus. Encore aujourd'hui, je ne parvenais pas à être sarcastique. Ma voisine de gauche était une vieille latina au regard triste. Sa main était chaude.

— Joyeux Noël, madame.

Je ne savais rien de sa vie. Elle semblait seule et miséreuse. Mais je lui souhaitais sincèrement de passer un heureux Noël.

— *Feliz navidad, señor.*

Devant moi, une jeune dévote s'est retournée et m'a serré la main avec chaleur.

— Joyeux Noël, monsieur. Que la paix de Jésus soit avec avec vous.

Elle prolongeait la poignée de main et me regardait avec l'insistance de ceux qui ne doutent plus. Ses yeux brillaient d'une imbuvable sérénité. Elle tentait à tout prix de me transmettre le bonheur de sa foi par prosélytisme oculaire. J'ai dégagé ma main de la sienne un peu sèchement.

À ma droite se tenait un vieux monsieur tout osseux, complètement courbé par une sévère cyphose. Son visage étant penché vers le sol en permanence, il s'est tordu le tronc pour me regarder du coin de son grand œil bleu. J'ai serré sa main très doucement, de peur de la briser. Il m'a murmuré *joyeux Noël* en un souffle à peine audible. Derrière moi, c'était un jeune atteint de paralysie cérébrale. Sa main recroquevillée bougeait sans arrêt. J'ai eu du mal à l'attraper. Il bavait et sa diction était laborieuse.

— Woyeu Nowel.

La cour des miracles. L'agglomérat des solitudes. Et moi j'étais un handicapé affectif.

Et enfin, le prêtre nous a libérés en lançant le traditionnel : «Allez dans la paix du Christ». Que ce soit celle de Jésus ou de qui que ce soit d'autre, on ne pouvait pas être contre la paix. Le monde en manquait cruellement. Depuis toujours, d'ailleurs.

La chorale a entonné *Les anges dans nos campagnes* et la foule s'est ébranlée joyeusement vers la sortie. Dehors, une fine neige tombait. Des adultes s'attardaient sur le parvis, pressés par les enfants épuisés d'avoir été sages. Des ados prenaient des *selfies* devant la statue de Jésus. Mis en marche par les démarreurs à distance, les VUS fumaient dans le stationnement.

Je suis rentré en pensant au temps où j'avais été heureux. Enfant, j'étais joyeux tout le temps, avec des épisodes de malheur passager, souvent causés par mes deux frères. Du plus loin que je me souvienne, je n'ai jamais aimé mes frères. L'aîné était un psychorigide asocial et froid, sans aucun humour. À douze ans, sa devise préférée était : *Dura lex, sed lex*. Il a fini avocat pour une pétrolière. Le cadet était tout le contraire. Séducteur et menteur, il charmait tout le monde avec ses sourires et sa gouaille. Il a fait mille et un métiers dans la vente, avant d'aboutir comme représentant d'une compagnie de boissons énergisantes.

En dépit de leurs différences, mes aînés s'entendaient sur une chose : j'étais le souffre-douleur idéal. Quand je n'étais pas victime des mauvais tours du cadet, c'était le plus vieux qui m'assignait à procès en dénonçant mes espiègleries à ma mère. Lors des balades dans le gros Chrysler paternel, j'étais assis à l'arrière, au milieu d'eux, avec interdiction de regarder par leur vitre, au risque de me faire tabasser. Je n'avais pas revu mes frères depuis les funérailles de mon père.

Pensionnaire dans un collège jésuite, mon adolescence avait été une période de fulgurantes découvertes et d'intenses stimulations intellectuelles. C'est là que j'avais pris goût à la langue. J'avais adoré composer des récits en grec célébrant la bravoure d'Achille et la ruse d'Ulysse. En ce temps-là, l'école extrayait les élèves de leur quotidien en les aspirant vers le haut. Certes, les jésuites avaient leurs défauts. Mais au-delà de leur foi farfelue et de leur goupillon baladeur, c'étaient des savants humanistes qui poursuivaient une pédagogie de la transcendance. Tout le contraire d'aujourd'hui, alors que les pédagogues du ministère s'échinent à recentrer l'école autour du nombril des étudiants.

À la fin des années soixante-dix, on était encore dans le sillage des bouleversements de Mai 68, et comme le disait Miron, j'avais soif de toutes les eaux du monde. Malheureusement, j'arrivais trop tard pour participer aux festivités. À mon entrée à l'Université en 1980, j'ai voulu plonger dans la mer de la révolution, mais la marée s'était brusquement retirée, me laissant barboter entre le *no future* des punks et le consumérisme des *preppies*. La vague des idéaux collectifs s'était brisée sur les rochers de l'individualisme. À ma première année au bac, l'asso étudiante m'avait accordé mille dollars pour fonder un club de lecture. L'année suivante, le nouvel exécutif étudiant s'était fait élire sur la promesse d'organiser un *beach party* dans l'agora. Inutile de dire que la subvention au club de lecture n'a pas été reconduite. Finis, les regroupements politiques marxistes et les grands mouvements étudiants : au bar du campus, on dansait dorénavant tout seul devant un mur, au son des claviers *new age*.

Je me suis jeté corps et âme dans la littérature qui, elle, ne m'a jamais déçu. Toujours en quête de distinction, je m'étais mis à lire Tristan Tzara et à fumer la pipe. Avec la bande, on se prenait pour la prochaine génération de génies. Nos jugements sur le monde étaient exécutoires et sans appel. L'humanité allait s'autodétruire et mieux valait en rire. Nous abordions tout au second degré, avec arrogance et détachement, en regardant le monde de haut. On s'imaginait géants, mais nous étions des nains sur des échasses.

Certes, le cynisme est une posture de jeunesse bien commode pour esquiver le présent sans jamais se compromettre. C'est aussi un moyen de défense contre l'absurdité et l'injustice. Mais à long terme, c'est une position difficile à tenir sans devenir malheureux. Comme ces statues humaines peintes en argent, immobiles devant les badauds. Ça devient épuisant de ne pas bouger. Et à part se moquer du malheur des autres ou savourer sa capacité à prédire la faillite du genre humain, le cynique n'a pas beaucoup d'occasions de se réjouir.

Quand Christian Mistral a largué *Vamp* en 1988, une météorite a percuté la planète littéraire. Un choc dont les dinosaures ne se sont jamais remis À vingt-trois ans, le petit crisse avait inauguré l'an zéro de notre modernité littéraire. À vingt-sept ans, je n'avais publié qu'une thèse de doctorat hermétique que personne ne lirait jamais. Bien sûr que j'étais jaloux. Mais nous appartenions à la même génération orpheline, à la queue de la comète des Boomers. Nous arrivions après le party et nos parents étaient partis se coucher en nous tendant la moppe pour faire le ménage. J'ai mis *Vamp* à l'étude avant même d'en avoir terminé la lecture. Ce fut un succès immédiat auprès des jeunes. Comment pouvait-il en être autrement? Le mur de Berlin allait tomber, la guerre nucléaire n'aurait pas lieu et Mistral invitait avec verve ma génération à vampiriser le monde sans remords; nous n'allions pas nous en priver.

En 1992, j'ai reçu ma permanence au département. Au moment même où je rencontrais Vicky dans un lancement chez mon éditeur, un professeur en génie mécanique assassinait quatre de ses collègues à l'université. Elle venait d'être engagée comme coordonnatrice dans une grosse boîte de pub et c'était la plus belle fille de la place. J'étais magnétisé par son énergie d'abeille besogneuse tourbillonnant avec grâce dans le vortex du jet-set. J'ai attendu d'avoir assez bu pour l'aborder. Nous avons discuté des quinze minutes de gloire de Warhol. Empâtée par l'alcool, ma diction était devenue laborieuse et Vicky est venue me reconduire. En désespoir de cause, je l'ai invitée à écouter du Nirvana dans mon appart miteux. Elle a eu pitié de moi et elle est montée.

Quatre ans plus tard, elle a profité de la tradition irlandaise du 29 février pour me demander en mariage. Elle s'est présentée complètement nue devant moi, affirmant n'avoir rien à me cacher. Comment aurais-je pu refuser? Son corps était vibrant de désir. À cette époque, on faisait l'amour trois fois par jour.

La naissance de Mathieu a tout changé. Ma femme était maintenant une mère. D'amante cool et insouciante, elle est passée au sergent-major contrôlant obsédé par la sécurité. Basée sur la complémentarité, notre complicité s'est étiolée dans les limbes du quotidien. À l'origine, j'avais été subjugué par la verve et la beauté clinquante de Vicky. Mais sous ses belles robes, l'impératrice révélait la superficialité de sa nudité. Nous nous sommes peu à peu retranchés dans nos univers respectifs : elle, dans la pub criarde et matérialiste ; moi, dans le silence et la réflexion de la littérature. Nos trajectoires s'étaient éloignées, comme deux droites sécantes et coplanaires.

Devant la porte de mes jeunes voisins, le brouhaha de voix joyeuses et plusieurs paires de bottes empilées indiquaient un réveillon en cours. J'ai avalé un restant de salade niçoise et je me suis couché.

*

Au réveil, j'avais une réponse à mon annonce du site de rencontre. C'était comme un cadeau déposé durant la nuit par le père Noël. Le cœur battant, j'ai cliqué. J'avais mis mes attentes au minimum, mais la déception m'a frappé de plein fouet. Une géante avec de longs cheveux blancs m'apparaissait en photo, complètement nue sur une plage. En arrière-plan, d'autre nudistes baladaient leurs plis. C'était épouvantable. S'étirant comme des grosses gouttes, ses seins reposaient sur sa bedaine, tablier de chair vergeturé qui masquait son pubis. Gaétane Valois, 52 ans, traductrice.

Bonjour René

La sincérité de votre message m'a beaucoup touchée. C'est pourquoi je me dévoile à vous sans pudeur. Je partage avec vous une passion immodérée pour la lecture et un certain désenchantement envers le genre humain. Il me semble qu'à deux, le poids du monde serait moins lourd à porter. Dans l'attente de vos nouvelles.

Gaétane

C'était une catastrophe. Qu'est-ce que je pouvais répondre ? J'avais espéré une libellule, c'était plutôt un taon qui s'était pris dans ma toile. Elle avait sûrement vu que j'avais lu son message. Et si elle insistait ? J'ai refermé brusquement le couvercle de mon portable, de peur que Gaétane ne surgisse de l'écran.

Dehors, il pleuvait. Rien de plus triste que la pluie en hiver. Dans le parc, le fort des enfants fondait à vue d'œil. J'ai passé la journée en robe de chambre. Depuis peu, je nourrissais une fascination morbide pour l'univers du courtage immobilier. Tout ce discours autour de l'habitation m'ensorcelait. Amalgamant le langage familier et le jargon spécialisé, le corpus linguistique immobilier produisait un ensemble de signes axés autour de deux grands pôles : le rêve et la sécurité. Mais derrière toute cette rhétorique apaisante, se déchaînait une jungle übercapitaliste sans scrupule, où la loi du marché était sans pitié. En constante évolution, la terminologie elle-même était au service de la cupidité des courtiers.

Par exemple, un article du magazine *JR* expliquait que l'équipe Johanne Ross ajoutait depuis peu le mot *acheté*, plutôt que *vendu*, sur ses pancartes indiquant une propriété à vendre. L'auteur expliquait que, du point de vue de l'acheteur potentiel, il était plus positif de se mettre dans la peau d'un autre acheteur ayant réalisé son rêve que dans celle du vendeur. Inconsciemment, l'acheteur potentiel était ainsi encouragé dans la réussite de son objectif d'achat et persévérait davantage dans sa recherche. Pour un courtier, le choix d'un simple mot pouvait avoir une incidence considérable sur son chiffre d'affaires.

Ils pourraient toujours ronronner de satisfaction dans leurs magazines glacés, les agents d'immeubles étaient inutiles. D'authentiques parasites. Je pouvais en témoigner; j'avais trouvé moi-même le condo sur Internet. Pour la visite, mon agent était arrivé à la course dans sa BMW. Dans chaque pièce où l'on entrait, sans doute pour justifier sa commission de 6 %, il éructait des banalités sur l'ensoleillement et la qualité de vie. Il me vantait le quartier en parlant de *secteur qui monte* et de *revitalisation structurelle. Ta gueule. T'es comme le l de trou du cul: t'es là, mais tu sers à rien.* Nous sommes allés remplir la paperasse dans un café. Pendant que je signais, il me bassinait avec la plus-value lors de la revente et l'avantage d'un taux variable. Il ne m'apprenait rien, j'avais déjà tout confirmé dans le simulateur sur le site de la banque. Il pouvait bien meubler le vide en pérorant, je n'oublierais jamais qu'il venait de se ramasser 18 000 dollars pour deux heures de travail. Il a quand même payé mon espresso, qu'il allait déduire de ses impôts. Et c'était justement ce genre de sangsues sociales qui pleurnichaient pour obtenir des baisses d'impôts.

Ayant terminé le magazine, j'ai regardé un clip présentant l'équipe de Johanne Ross sur Internet. Comme dans une annonce de lait, ils défilaient sur un canapé blanc, au centre d'un décor immaculé et surexposé. Dans un langage formaté par les écoles de gestion, ils baratinaient des évidences et des concepts vaseux avec leurs dents blanchies de carnassiers. Johanne régnait en louve alpha sur sa meute et attribuait son succès au respect du client et au travail d'équipe. Mais elle pouvait bien jouer les humanistes sociocrates à l'écran, sa dictature égocentrique ne leurrait personne; derrière les portes closes, ses colères devaient être terribles. Ça ne m'empêchait pas de m'imaginer la ramoner par-derrière sur son canapé coquille d'œuf.

Il a bien fallu que je prépare mes cours pour la rentrée de janvier. Une belle session pépère en perspective. Grâce à Georges, qui avait accepté de m'échanger *Théories de la littérature* contre *Pratique des genres*. J'aimais bien la théorie littéraire, mais les étudiants en avaient horreur. C'était une matière aride et complexe qui rebutait les esprits réfractaires à la réflexion. Georges se foutait complètement du désintérêt des étudiants. C'était une de ses grandes forces. Contrairement aux jeunes profs préoccupés par leur réputation, il n'avait pas d'ego et se fichait des évaluations étudiantes qui lui reprochaient l'ennui de ses cours magistraux.

Pratique des genres était un cours populaire et facile à donner. Essai, article, discours, portrait, nouvelle, poésie, théâtre, scénario, il s'agissait essentiellement de faire rédiger aux étudiants des pastiches de différentes catégories de textes. Ça faisait beaucoup de correction, mais les étudiants adoraient.

Pour *Imaginaire social et littéraire*, j'avais décidé de remettre *Plateforme* de Houellebecq à l'étude. Les étudiants étaient bien avertis d'avoir lu le livre avant le premier cours. La plupart ne l'auraient pas fait et se rattraperaient en lisant pendant le cours. La classe aurait à analyser le postulat de l'auteur voulant que la sexualité occidentale obéisse aux lois du libéralisme économique, avec ses transactions, ses marchés, ses pauvres et ses riches. Outre son style dépouillé et son humour dépressif, ce que j'appréciais chez cet auteur était sa capacité à surprendre le lecteur en l'acculant dans ses propres retranchements intellectuels. Certes,

Houellebecq choquait, mais il fallait plus que de l'indignation pour contester ses idées.

Mon propre cas illustrait à merveille sa théorie de la paupérisation sexuelle. Solitaire vieillissant, je n'étais même plus capable de me branler ; des flashs cauchemardesques de Gaétane en levrette, avec des stalactites de chairs pendantes, parasitaient mes fantasmes d'agente d'immeubles.

Deux cours de premier cycle, je n'allais pas mourir à l'ouvrage. Bien sûr, il restait à faire voter les plans de cours par les étudiants. Quelle idiotie que cette pseudo-démocratie. Florent Bourdon réussirait sûrement à convaincre ses congénères de déplacer les dates d'examens pour ne pas nuire aux célébrations du Carnaval étudiant.

En bon nietzschéen, j'avais toujours envisagé l'enseignement comme une dictature éclairée. Mais depuis la réforme, l'Université considérait maintenant les *apprenants* comme les *partenaires de premier plan d'une stratégie pédagogique coconçue dans le respect de la diversité et la valorisation du vécu des individus.* Demander aux passagers de plébisciter le plan de vol du pilote, c'était encore la meilleure façon de s'écraser.

J'ai aussi relancé Clément Pépin, mon seul doctorant. Il avait d'immenses dents affreusement croches et son long visage était ravagé par l'acné. Je savais qu'il habitait une minuscule chambre au centre-ville et qu'il pataugeait dans une pauvreté endémique. Les soirs d'hiver, on voyait parfois son grand corps assis jusqu'à la fermeture de la bibliothèque, à la recherche d'un peu de chaleur pour lire. Quand il marchait, on avait l'impression qu'il avançait dans l'eau et que son corps allait s'effondrer de fatigue à tout moment. Napoléon Cherenfant l'avait déjà qualifié de *ti soufri*, c'est-à-dire *miséreux* en créole. C'était surtout un brillant à la plume merveilleuse, mais d'une paresse infinie. D'ailleurs, avec ses grands bras maigres et ses gestes au ralenti, il avait tout du paresseux, animal à la digestion tellement lente qu'il arrive que certains soient retrouvés morts de faim avec le ventre plein.

Clément venait d'avoir trente ans et ça faisait cinq ans qu'il étirait sa thèse sur l'humour noir, avec Desproges et *Idées noires* de Franquin comme corpus comparatif. Son sujet était excellent et il était assez avancé, mais il n'en finissait plus de repousser les échéances. À bout de ressources pour le motiver, je me sentais comme un obstétricien qui tente d'accoucher une femme qui ne veut plus pousser. Les idées ne peuvent pas rester en gestation éternellement.

En comparaison des courtisans qui s'activaient autour de La Pute et de La Corriveau, un doctorant, c'était peu. C'était quand même mieux que Ti-Coq, qui n'en comptait aucun et n'avait jamais dirigé un seul mémoire de maîtrise. Il répétait à qui voulait l'entendre qu'en tant que pédagogue, il préférait se concentrer sur l'enseignement au premier cycle. La vérité, c'est que la vétusté de son champ de compétence et sa médiocrité intellectuelle n'intéressaient aucun étudiant.

Quant à moi, j'avais eu mes heures de gloire dans les années quatre-vingt-dix. Houellebecq venait de publier *Extension du domaine de la lutte* et l'engouement pour la littérature pessimiste était palpable chez les étudiants. Malheureusement, la misogynie et le spleen houellebecquiens intéressaient peu les étudiantes, qui se dirigeaient massivement vers les littératures des femmes et de la francophonie.

Et puis, la veine s'est tarie. Houellebecq vieillissait mal et sa fixation sur l'islam l'a éloigné des jeunes, qui le considèrent maintenant comme un vieux réac édenté. J'aurais pu proposer aux étudiants de décoder le monde post 11-Septembre avec les cyniques grecs mais, par paresse ou inconscience, je n'ai pas su me réinventer. À ce moment, j'étais dans le dernier droit avec Vicky et je n'avais pas la tête à de nouveaux défis professionnels. Sous un angle marketing, j'avais complètement raté le repositionnement de ma marque.

*

La ville était grise et déserte. La pluie avait fait fondre la neige. J'en profitais pour faire du ménage dans le condo. Mon nouvel aspirateur sans fil était fantastique. Une merveille de design et de technologie britanniques. D'une simple pression de mon index, j'aspirais la poussière de ma vie.

Une deuxième femme tentait d'entrer en contact avec moi dans ma boîte sur l'agence de rencontre. Une petite madame pincée, coincée dans un tailleur terne, souriait tant bien que mal au milieu d'une plate-bande fleurie.

Bonjour René.

Je me nomme Monique Tissot. J'ai cinquante-cinq ans et je travaille aux Archives du ministère des Structures et de la Réorganisation. Je suis une femme autonome, méticuleuse et sérieuse, capable d'apprécier les bons moments de la vie. J'adore le jardinage, la marche et le cinéma. Je recherche un homme gentil, aimant, propre de sa personne, avec qui partager les douceurs du temps qui passe.

Pouvait-on trouver plus générique comme présentation ? Elle avait dû faire un copier-coller qu'elle avait posté à une multitude de destinataires. Pauvre petite Monique. Comme beaucoup de femmes de son âge, elle recherchait une présence affectueuse qui lui tiendrait compagnie en attendant la mort. Elle n'avait pas besoin d'un homme ; un labrador ferait l'affaire.

Mon expérience avec le réseau de rencontres était un échec complet ; j'ai désactivé mon profil. Une conclusion brutale s'imposait : attendu que ma personne ne générerait jamais l'enthousiasme des jeunes femmes désirables, j'allais devoir payer pour obtenir des relations sexuelles satisfaisantes.

J'avais ouvert ma porte-patio. Un sirocco printanier vivifiait le condo. On se serait cru en avril. Comme si l'hiver avait duré le temps des roses. Une surprise m'attendait dans ma boîte de courriel. J'étais invité à prononcer une conférence par l'Association des professeurs de français en Suède. On me demandait d'intervenir dans le cadre du colloque *Le français, une richesse à partager.* Je me demandais bien ce que je pouvais aller faire là. Après un bref échange épistolaire avec la professeure Irène Ponge, j'ai compris que j'avais plus ou moins été recommandé par un collègue de mon département et qu'elle me donnait carte blanche.

Pour fêter ça, j'ai décidé de passer la soirée du Nouvel An en compagnie d'une escorte. J'ai fait mon magasinage sur le Net. Les filles étaient présentées comme des hôtesses, euphémisme déculpabilisant s'il en était. On insistait sur leur intelligence, leur classe et leur *personnalité pétillante.* Le site était bourré de fautes du genre : *You ne seront pas decus.* Clara et Yasmine avaient exactement le même libellé de profil. Cathy prétendait être experte dans l'art de stimuler la prostate. C'était comme magasiner différents modèles de lave-vaisselle. Les photos étaient superbes, on pouvait zoomer sur les détails, avec une description des différentes fonctions.

J'ai jeté mon dévolu sur Wendy : 28 ans, 5'1'', 115 lbs, 34DD. On ne voyait pas son visage, mais à vingt-huit ans, j'avais peu de chances de tomber sur une de mes étudiantes. Elle avait des *tattoos* hideux mais ses seins réfutaient toutes les lois de Newton et sa musculature était incroyablement découpée. Sa présentation disait : *Elle est comme un caméléon, on la désire dès le premier regard.* J'ignorais que les primates pouvaient désirer des caméléons. Mais qui s'en souciait, elle était superbe. Pour la soirée du 31 décembre, il y avait un supplément. Sept cents dollars pour une heure. Bien sûr, c'était cher. En économie, la question n'est jamais de savoir combien ça coûte, mais est-ce que ça le vaut.

Il fallait que je prépare ma conférence. J'ai ressorti mon plus récent article publié dans la *Revue française de linguistique appliquée*. Mon texte s'intitulait «Le point-virgule, un clin d'œil cynique à réhabiliter». Cette réflexion de deux mille mots datait de dix ans et avait constitué l'apogée de ma gloire professionnelle.

Destiné à unir deux propositions ayant un lien entre elles, le point-virgule ajoute de la nuance et du rythme à la narration. Utilisé savamment, le point-virgule prépare une chute inattendue et devient un marqueur de cynisme. Michel Houellebecq l'utilise abondamment. En cent ans, soit depuis la parution de *Du côté de chez Swann* en 1913, j'avais calculé une baisse d'occurrences de 86 % du point-virgule dans la littérature française. Malheureusement, le point-virgule est menacé par la mode des phrases courtes. Paradoxalement, c'est la brièveté du texto qui a redonné une seconde vie au point-virgule. Accolé à la parenthèse, il devient un clin d'œil qui indique au lecteur que la phrase doit être lue au second degré.

*

J'ai dû sortir faire des courses en vue du grand soir avec Wendy. La température avait chuté brusquement et les trottoirs étaient glacés. Tout le monde avançait à petits pas, les bras écartés. J'envisageais du champagne et du foie gras de canard. La dernière fois que j'avais mangé du foie gras, c'était pendant mon voyage de noces en Corse avec Vicky.

L'île de Beauté portait bien son nom. En pleine Méditerranée, un paradis équarri à la hache par un titan. Je me rappelle qu'un jour, on s'était trempés dans l'eau d'une rivière en montagne et le soir même, on se baignait dans la mer. C'était là aussi que j'avais eu ma première vraie chicane avec Vicky. Dans les rues de Bastia. Soi-disant je lui manquais de respect en marchant trop vite devant elle. Faut dire qu'elle avait tendance à s'arrêter devant chaque vitrine. Bref, comme toute bonne engueulade, un détail qui a dégénéré. On réglait nos comptes pour la première fois, elle en me criant dessus à tue-tête, moi en lui sifflant des insultes. Je ne sais pas ce que les Corses ont compris de notre dispute, mais ils en avaient vu d'autres. La veille, le commissariat avait été attaqué à la mitraillette par des indépendantistes. Comme d'habitude avec Vicky, on s'est réconciliés entre les draps. Après, je me souviens avoir regardé un film sur Désiré Landru, un sinistre barbu du début du siècle, qui séduisait des veuves de guerre avant de les découper et de les brûler dans un poêle. En voilà un qui avait trouvé le moyen d'éviter les chicanes.

À l'épicerie, des congénères prédateurs avaient chassé pour moi et je n'avais qu'à me servir. Comme une hyène se repaissant de cadavres. Dans l'étal de la boucherie, protégés par leur pellicule de cellophane, les morceaux de viande m'apparaissaient trop rouges sous la blancheur des néons. Je repensais à mon père, aliéné par l'abattoir, et la vue de la viande me laissait soudain un arrière-goût de putréfaction en bouche. J'ai choisi un pavé de tofu.

Avec toutes les mondanités auxquelles elle me conviait, Vicky avait toujours été la gardienne de ma socialisation. Depuis qu'elle n'était plus là, ma misanthropie avait repris le dessus et j'avais perdu la main avec mes semblables. Je déambulais dans les allées, plus seul que jamais, avec l'impression de me détacher de l'humanité, comme si j'étais moi-même sous cellophane. Il fallait dire bonjour, merci et souhaiter une bonne année à la caissière. Tous ces rapports sociaux codifiés me demandaient un effort et j'avais l'impression qu'on s'en apercevait.

Tel que stipulé dans le protocole du site d'escortes, j'avais pris ma douche et je m'étais coupé les ongles. Le condo était impeccable. Dans le foyer au propane, des flammes orangées oscillaient doucement. J'avais mis une radio jazz et le sax effeuillait langoureusement ses notes. Sur la table basse du salon, le goulot de la bouteille de champagne émergeait du seau à glace, tel un canon chargé. Tartinés de foie gras, les craquelins sans gluten étaient disposés en cercles concentriques dans l'assiette. On aurait pu croire à la mise en place de n'importe quelle soirée romantique. Sauf qu'à côté des flûtes en cristal, une enveloppe de guichet automatique était bombée de billets de vingt.

À vingt heures tapantes, on a sonné. J'ai essuyé mes paumes sur mon pantalon, respiré un grand coup et je suis allé ouvrir. Juchée sur des bottes interminables, Wendy était spectaculaire.

— Câlisse que c'est glissant dehors. J'ai failli me planter dans ton entrée.

— Désolé. Je vais mettre du sel.

— Salut. Moi, c'est Wendy.

— René. Enchanté. Entrez, entrez.

Je me suis effacé; elle m'a tendu son manteau en s'avançant pour regarder le condo. Sa robe fuseau noire moulait toutes les courbes de son petit corps tel un emballage sous vide. Ses talons aiguilles claquaient comme des coups de fouet sur le parquet. Normalement, j'aurais exigé qu'elle se déchausse, mais ses bottes à mi-cuisse lui faisaient des jambes en aiguilles à tricoter, qu'elle croisait à chaque pas. Je me suis discrètement replacé le zob.

— Wow! C'est *nice* chez vous.

Le condo faisait son effet. Jambes croisées, elle admirait la vue par la porte-patio. Durant la saison des amours, les tisserins mâles bâtissent des nids suspendus d'une grande complexité. La femelle inspecte les nids et choisit le mieux construit. L'heureux bricoleur peut alors s'accoupler. Sa robe était tellement échancrée dans le dos que ses fesses avaient un décolleté. Sur l'omoplate gauche, elle avait un *tattoo* de la fameuse pancarte *Welcome to Fabulous Las Vegas Nevada*.

— Est-ce que vous voulez qu'on règle la question monétaire tout de suite?

— Ça serait mieux.

Je lui ai tendu l'enveloppe. Elle s'est assise sur le divan pour compter sept piles de cinq billets sur la table basse, à côté des craquelins. En la regardant ruminer sa gomme et manipuler mon argent avec le doigté d'une caissière, le malaise m'est tombé dessus. Malgré tout notre théâtre, il n'y avait aucune séduction dans cette rencontre, juste une vulgaire transaction. Elle a rangé la palette dans sa botte, contre sa cuisse. Mon argent la touchait avant moi.

— Champagne?

— Toi, t'as de la classe.

J'ai pris la bouteille et j'ai ouvert la porte-patio. Un courant glacial a submergé le salon. J'ai secoué la bouteille d'un coup sec avant de pointer le goulot devant moi, à la hauteur de mon bassin. Le bouchon a sauté jusque dans la rue, traçant une parabole dans la nuit. Une gerbe d'éclaboussure blanchâtre s'échappait du goulot. La métaphore n'était même pas subtile. J'ai refermé la porte-patio, rempli les verres et nous nous sommes assis côte à côte sur le divan.

— Santé.

— *Cheers.*

Elle s'était fait tatouer le mot *Beautiful* en cursives sur l'avant-bras. C'était la stricte vérité, mais pourquoi vouloir l'écrire à la vue de tous? Pour qu'elle puisse s'en souvenir lorsqu'elle serait sénile? Voilà une génération qui se faisait tellement malmener sur les réseaux sociaux qu'elle avait besoin de se rappeler l'essentiel. Le corps comme liste d'épicerie.

Wendy frissonnait. D'un clic de télécommande, j'ai augmenté l'intensité du feu dans le foyer et baissé les lumières. Elle s'est lovée contre moi. J'étais fasciné par la hauteur de ses bottes et la petitesse de sa robe.

— Qu'est-ce que tu fais dans la vie, René?

— Prof de littérature à l'université.

— C'est-tu payant?

— À mon niveau dans l'échelle salariale, c'est décent.

— Ça doit. T'as vraiment une belle place.

— Merci. Vous...

— Laisse faire le vous. Dis-moi tu.

Elle avait un petit visage de souris et de beaux yeux bleu clair, mais elle était trop maquillée et son fond de teint ne parvenait pas à masquer son acné.

— Toi, fais-tu d'autre chose à part...

— À part fourrer pour du *cash*? C'est temporaire. J'étais acrobate pour le Cirque du Soleil à Vegas. Mais il y a eu un accident pis y a une fille qui est morte pendant le *show*. Ils ont toute arrêté, faque je suis revenue ici. Je vais peut-être retourner par chez nous... je sais pas trop.

— C'est où par chez vous?

— Un petit village dans le Nord qui s'appelle Mort-Terrain.

— Wendy, c'est-tu ton vrai nom?

— Non, c'est mon nom d'artiste... Eille, c'est pas que je m'ennuie, mais le compteur tourne.

Elle a pris un craquelin et l'a déposé entre ses seins.

— As-tu faim ?

J'ai planté mon nez dans sa craque et englouti la bouchée. C'était délicieux. Après un verre de bulles, je me sentais plus léger. Elle s'est levée langoureusement pour enlever sa robe en la déroulant vers le haut. Elle oscillait comme un boa qui mue. Elle n'avait que ses bottes et un mince string noir. Ses seins tenaient tout seuls, comme les rochers flottants de Magritte. Son corps était bronzé et finement ciselé par des heures de gym. Je la fixais comme une œuvre d'art. Elle me regardait avec un sourire satisfait. À l'instar de la Joconde, elle devait avoir l'habitude de l'effet qu'elle faisait. Elle m'a pris la tête et m'a étouffé dans ses gros seins rembourrés. Je l'ai enlacée. Ses fesses étaient fermes et bombées. J'ai fait glisser son string en la couchant sur le divan.

À la radio, une trompette déversait sa coulée de cuivre sur une contrebasse gambadante. Wendy s'est débarrassée de son string en tricotant avec le talon aiguille de sa botte. La perfection des gestes maintes fois répétés. J'ai embrassé son ventre. J'aurais pu jouer du piano sur ses abdos. Je suis descendu jusqu'à son delta, superbement taillé. J'ai plongé à pleine bouche dans son sexe. Je savourais le goût de sa gonade iodée. Wendy s'alanguissait en soupirant. Tout allait bien.

Jusqu'à ce que j'ouvre les yeux sur l'horrible *tattoo* au-dessus de son pubis. Dans un entrelacement de lettres psychédéliques multicolores, j'ai cru déceler les mots *Gâtes-toi*. L'accent circonflexe et le trait d'union étaient corrects. Sauf qu'à l'impératif, on ne met jamais de *s* à un verbe du premier groupe conjugué à la deuxième personne. En plus d'être vulgaire et laid, son estie de *tattoo* avait une faute. Soudainement, son clitoris goûtait le varech.

En plus, le *g* de son *tattoo* avait l'air d'un *h*. *Hâtes-toi*. J'avais effectivement l'impression qu'elle s'emmerdait impérialement. Du coin de l'œil, je la voyais ruminer sa gomme en se regardant les ongles. Un peu plus et elle textait. Ça n'allait plus du tout. Ma débandade était inéluctable.

Sentant que mon ardeur à l'ouvrage diminuait, elle a pris les choses en main. Elle m'a retourné pour me déculotter savamment, puis elle a déposé sa gomme dans l'assiette de craquelins. Sa fellation était royale. Elle léchait, elle humectait, elle suçait, elle jouait aux dés avec mes burnes ; une vraie professionnelle. Rien à redire sur la technique. Sauf que c'était peine perdue. La pauvre s'acharnait à m'étirer le zob comme un slinky, dans un insupportable bruit de siphon. Mais toute sa science était impuissante à conjurer ma déchéance. Le terrible *tattoo* avait fait son œuvre. Dans ma tête, je voyais défiler les conjugaisons des verbes du premier groupe. Elle a finalement rendu les armes.

— Y a-tu quelque chose qui va pas ?

— Non, non… C'est pas toi, c'est moi. C'est la première fois que je paye. Je sais pas…

— Fais-toi-z'en pas. Ça arrive. Viens ici.

Elle jouait dans ce qui me restait de cheveux ; comme pour consoler un enfant.

— On peut se flatter si tu veux. Il te reste vingt minutes.

J'en avais assez de cette transaction qui n'en finissait plus. Je voulais juste qu'elle s'en aille et qu'elle me laisse avec ma honte. Tout ça à cause d'un tatoueur analphabète.

— Non, c'est correct. Tu peux y aller.

— T'es sûr ? Mais je peux pas te rembourser. C'est une heure minimum.

— C'est correct. Garde le change. Tu t'achèteras des *candys* pis des nananes.

— Comme tu voudras.

La radio ânonnait une publicité criarde. Elle s'est empêtrée dans son string en le remettant. Toute sa sensualité s'était évaporée. Le carrosse était redevenu citrouille. Elle a remis sa robe et repris son manteau.

— *Bye*, René. T'es un vrai homme, avec de la classe. C'est rare. Rappelle-moi quand tu veux. Mon vrai nom, c'est Krystel.

J'ai marmonné un genre d'au revoir. Avant de partir, elle m'a embrassé sur le front. J'ai fini le champagne au goulot et engouffré les craquelins. Elle ne les avait même pas goûtés. À quoi je m'attendais? J'étais ridicule avec mes craquelins. Pas besoin de la séduire; c'était une pute. Elle ne jouirait pas avec moi. Le vrai pouvoir des putes, ce n'est pas de donner du plaisir, c'est de refuser d'en prendre avec un client.

*

J'ai passé de longues heures à me morfondre dans la philosophie insomniaque de Cioran. Je me délectais de ses aphorismes nihilistes, petits sushis aigres-doux, denses et lourds de sens. *Une larme a toujours des sources plus profondes qu'un sourire.* Il y avait de quoi méditer. Silence, solitude, ascèse... comme le dit la publicité: j'étais rendu là.

Après l'échec de ma transaction sexuelle avec Wendy, j'avais recommencé à me masturber en pensant à Vicky. Le souvenir de son corps souple et chaud était tout ce qui me restait de mon ex. C'était la certitude de l'avoir fait jouir qui nourrissait mon fantasme. Elle, au moins, ne s'était jamais regardé les ongles pendant qu'on faisait l'amour. Des fois, elle jouissait tellement fort que j'en avais des acouphènes. Et toute cette puissance, c'est moi qui la générais. Réchauffé par son corps détendu, je m'endormais avec l'écho de son plaisir dans les oreilles.

*

J'ignore par quelle impulsion je suis allé au musée pour voir une exposition consacrée à la modernité de l'art autochtone. En entrant, deux planches de skateboard avaient été sculptées pour simuler la babiche des raquettes. Dans une autre salle, un peintre de la côte Ouest exposait des sérigraphies qui revisitaient complètement les motifs traditionnels, dont les courbes et les couleurs préfiguraient Pellan.

J'étais le seul visiteur, coureur des bois postapocalypse errant sans bruit dans un monde à la fois ancien et futuriste. Suspendus dans une cage en plexiglas, un habit de neige inuit et un scaphandre d'astronaute trônaient côte à côte. Des parallèles étonnants étaient établis entre les deux technologies, notamment les lunettes en os fendus et la visière teintée du casque de la NASA.

Au centre d'une immense salle blanche et nue, se dressait une guillotine grandeur nature, construite avec des troncs de cèdres bruts, dont la lame biseautée avait été remplacée par un silex de tomahawk géant. Sinistre brontosaure avec son long cou dressé. Un panneau affirmait que la déclaration française des droits de l'homme et du citoyen avait sans doute été inspirée par les valeurs des sociétés amérindiennes, centrées sur la liberté individuelle, souvent matriarcales et unies par les liens du clan. Liberté, égalité, fraternité. En Amérique, on n'avait pas eu besoin de graver des mots dans un parchemin d'écorce pour en appliquer les principes.

Intitulée *Plumes et goudron*, la dernière installation du parcours était une immense maquette d'une mégalopole inspirée par le design autochtone. Une ville reverdie, toute en cercles, avec des cours d'eau, des fontaines et des gratte-ciel en forme de totems, qui s'illuminaient de lueurs verdâtres d'aurores boréales pulsant au son de chants de gorge et de techno chamanique.

Dehors, une tempête déchaînait ses torrents de poudrerie dans la ville désertée. Le vent s'engouffrait dans les ouvertures de mon manteau de laine. On ne voyait pas à dix pas devant soi. Habillé en commando avec des lunettes de ski, un cycliste voulait prouver au monde entier qu'il avait le droit constitutionnel de circuler en tout temps à vélo. Chancelant, il progressait péniblement dans la neige, en moulinant à toute vitesse. En pressant le pas, j'ai fini par le dépasser ; avec une petite satisfaction.

Je suis arrivé chez moi complètement congelé. Je me sentais comme La Vérendrye au retour de son expédition dans les Rocheuses. Mon pantalon était complètement raidi par le froid, j'avais les mains et les oreilles transies. J'aurais volontiers échangé ma vareuse bretonne contre un parka inuit. J'ai mis en marche le foyer d'une pression du doigt et je me suis fait couler un bain chaud, en pensant à la rigueur des hivers qu'avaient dû subir mes ancêtres.

Je n'avais pas grand-chose à faire en attendant que la session recommence. J'ai regardé un documentaire consacré à Céline sur YouTube. À la fin de sa vie, le parallèle avec Houellebecq était saisissant. Mêmes yeux enfoncés de faucon fatigué. Même tête hirsute d'épouvantail traqué. Même voix aigre de mage maudit. Chacun dans son siècle, même délire obsessionnel ; Louis-Ferdinand, les Juifs et Michel, les musulmans. Même style révolutionnaire avec procédés nouveaux faisant appel, l'un aux points de suspension, l'autre au point-virgule. Même génie littéraire autodidacte, capable de saisir la tragédie de son époque et de la fixer pour la postérité dans une œuvre incontournable.

*

Il a bien fallu retourner enseigner. Les étudiants avaient l'air reposés et motivés. Ils ont voté mes plans de cours sans rechigner. Mais c'était probablement une ruse.

Au secrétariat, tout le monde était de bonne humeur. Louise avait apporté des restants de gâteau aux fruits. J'en ai pris pour lui faire plaisir. C'était pâteux et ça goûtait le vieux. Je l'ai complimentée. J'ai jeté le reste dans ma poubelle.

Ti-Coq était en pleine forme. La porte de son bureau ouverte, il classait des papiers en sifflant. Il avait passé des vacances de ski formidables avec sa nouvelle flamme esthéticienne. Quoique vulgaire et laconique, son résumé traduisait toute l'étendue de son bonheur :

— J'ai jamais autant fourré ! Pis toi ?

Moi, c'était moins glorieux.

— J'ai lu. J'ai écrit.

Ce qui n'était pas faux, pour peu que l'on considère les courriels et les listes d'épicerie comme de l'écriture.

Georges revenait de Paris où il avait rencontré des amis académiciens. Je les imaginais, vieillards vénérables, leurs cous décharnés ornés de lavallières ou de nœuds papillons, réunis à la chandelle dans des salons lambrissés avec des parquets à chevrons, discourant pendant des heures des mérites du futur antérieur et du plus-que-parfait du subjonctif. Toutes ces conjugaisons obsolètes allaient mourir avec eux, remplacées par une langue synthétique hybridée. LOL ;)

Avec toutes ses exceptions, ses genres aléatoires et ses conjugaisons inutiles, le français était devenu trop complexe et trop lent pour rendre compte d'un monde en mutation accélérée. L'anglais s'est propagé comme une bactérie, car sa structure génétique est simple. Et si le français était condamné à évoluer vers la simplification, sous peine d'être rayé de la carte ? Le latin n'avait-il pas muté pour transmettre ses gènes au français ? Pour respirer à l'air libre, le français allait devoir convertir ses branchies en poumons et marcher sur ses nageoires. Peut-être que le sabir parlé par mon fils était en réalité la condition de survie du français. Si c'était le cas, je ne parvenais pas à m'enthousiasmer.

J'étais un dinosaure et la Terre avait été percutée par la comète Internet. Le monde changeait. Le climat se déréglait. Les volcans se déchaînaient et l'horizon était obscurci par des poussières toxiques. Je n'avais pas la capacité de m'adapter. J'allais devoir laisser la place aux petits mammifères.

*

Alors que je les croyais perdus, mes étudiants réussissaient toujours à me surprendre. Je leur avais demandé de rédiger le portrait d'une personnalité et le résultat était franchement agréable. Ça se corrigeait tout seul, avec un bon verre de pineau des Charentes. J'ai eu droit à l'apologie de Kim Kardashian, créature téléréelle célèbre en vertu de sa célébrité. Pour ses personnages torturés et ses duels en vers, Florent Bourdon comparait Eminem à Shakespeare et à Cyrano. Trop de mots, trop de rimes, trop de frime, trop de tout : le rap m'avait toujours laissé perplexe. Mais à force d'insister, mes étudiants allaient peut-être me convaincre que ces baveux bavards incarnaient le renouveau de la poésie.

Héloïse de Barberac m'a présenté Charlotte Corday, la meurtrière de Marat, sous un tout nouveau jour. Elle louait le courage et la pensée politique de cette femme, trop souvent perçue comme la marionnette hystérique des Girondins en exil. Mon étudiante la considérait plutôt comme une «Amazone tranchant les têtes empoisonnées de l'hydre républicaine». La petite avait quand même le sens de la formule. Elle prétendait que les récits nationaux avaient été complètement javellisés, sous prétexte que les hommes qui écrivaient l'histoire étaient incapables de soutenir en face la violence féminine. En général, le discours victimaire et revanchard du féminisme radical me gonflait les burnes. Mais là, Héloïse avait fait mouche et je l'en félicitai avec enthousiasme : *Réflexion articulée audacieuse et personnelle. 95.*

Steeve Simard avait signé une hagiographie du plus grand héros de la Nouvelle-France intitulée : *Pierre Le Moyne d'Iberville, un corsaire à la mesure de l'Amérique.* Sa conclusion donnait le goût de s'envoler à Cuba pour se recueillir devant la statue du Cid canadien dans le vieux port de La Havane.

Visualisés sur une carte, les nombreux périples d'Iberville donnent le vertige. En vingt ans, il a bourlingué des glaces de la baie d'Hudson, jusqu'au soleil des Antilles. Aussi à l'aise en escarpins dans les salons de Versailles qu'en mocassins sous le feu de la mitraille, il a œuvré jusqu'à la fin de sa vie, par le commerce et l'épée, à l'établissement d'une Amérique française. Comète fulgurante, il a incarné toute la démesure du continent qui l'a vu naître. Même si l'astre est éteint, la brillance de ses exploits illumine encore le ciel de notre histoire.

Je suis allé me coucher avec en tête des images de Marianne vengeresse et de combats navals épiques. Mes étudiants étaient encore capables de me faire réfléchir et rêver. Pendant ces rares moments, j'avais des jaillissements d'amour pour mon métier.

Le lendemain, j'ai eu du plaisir dans un cours. J'ai remis leur copie aux étudiants en les complimentant. Curieusement, quand il était question de recevoir des louanges, ils délaissaient leurs écrans et m'écoutaient attentivement. Héloïse était vraiment fière de sa note, avec raison. À la fin du cours, Steeve est venu me voir en se balançant d'une jambe à l'autre. Il flottait dans sa chemise trop grande.

— Monsieur McKay, j'aurais quelque chose à vous demander.

Avait-il changé d'idée à propos de sa maîtrise? Voulait-il que je sois son directeur?

— Pour le Carnaval étudiant, on organise une Nuit de la parole. Douze heures de lectures sans arrêt, de vingt-deux heures à dix heures. On fait le tour des profs. On aimerait que vous fassiez une lecture.

J'étais pris de court, mais flatté.

— Qu'est-ce que vous voulez que je lise?

— Arthur Buies.

Parce que j'étais de bonne humeur, parce que j'admirais Buies et parce que c'était Steeve, j'ai accepté. Il était vraiment content. J'étais le premier prof à dire oui. Nous avons marché ensemble jusqu'au département. Il a continué sa tournée en frappant aux portes de mes collègues. On aurait dit un scout qui vendait du chocolat. Le bureau de La Corriveau était clos comme un tombeau.

Dragon m'a intercepté devant son bureau.

— René, faut que je te parle.

Qu'est-ce que j'avais fait encore?

— Assis-toi. J'ai une mauvaise nouvelle.

Son visage était grave et soucieux. Je n'aimais pas ça du tout.

— Ton étudiant Clément Pépin… Il s'est suicidé.

J'étais sonné, mais pas surpris. Le malheur lui collait au corps comme la suie sur un ramoneur. Je ne savais pas trop quoi dire.

—Je l'ai relancé pour son doc à Noël. Il m'a jamais répondu.

— Les funérailles sont demain.

— OK. Je vais sûrement passer.

Je devais avoir l'air abattu.

— En cas de suicide d'un étudiant, l'Université met en place un protocole. Veux-tu voir un psy?

— Non, ça va aller. Comment on fait pour fermer un dossier de doctorat en cas de décès?

— Je le sais pas. Je vais demander au doyen.

Enfermé dans mon bureau, je me suis assis dans le noir et j'ai allumé l'ordi. À la loterie génétique, Clément n'avait pas tiré les bons numéros. Il n'était pas conçu pour survivre à l'état sauvage; il aurait été plus à l'aise dans un zoo. Le pauvre garçon avait tout simplement cessé de lutter; il ne transmettrait pas ses gènes.

Est-ce que j'aurais pu voir venir le coup? Aurais-je dû lui parler d'autre chose que de cadres d'analyse et de bibliographies annotées? Aurais-je dû avertir quelqu'un, voyant que mes courriels demeuraient sans réponse? Bien sûr, Clément n'avait pas hérité du casting de Jojo Lajoie, mais jamais je n'aurais pu soupçonner la profondeur de son mal-être. Je parcourais le fichier de sa thèse inachevée. À part moi, personne ne lirait jamais ses mots. Personne n'aurait accès à sa pensée complexe et raffinée. Quel gâchis.

Par ma fenêtre qui donnait sur l'atrium, des étudiants s'activaient trois étages plus bas. Sans doute pour le Carnaval étudiant. Ils semblaient ériger une structure qui ressemblait à un échafaud.

*

Clément était un solitaire; il n'y avait pas beaucoup de monde au salon funéraire. Quelques parents, surtout des vieux, aucun jeune de son âge. On meurt comme on a vécu. Ses parents se tenaient à côté du cercueil. Le père était un grand sec perdu dans son costume.

C'est de lui que Clément tenait son visage ingrat. Monsieur Pépin a reçu mes condoléances froidement. Il semblait complètement absorbé par la tapisserie bon marché qui imitait les pierres d'une villa romaine. Je me suis présenté à sa mère, une belle blonde dans la cinquantaine, vêtue d'un élégant tailleur.

— Bonjour, madame. Mes sympathies les plus sincères. René McKay. Je dirigeais la thèse de Clément.

— Ah, monsieur McKay.

Elle s'est effondrée dans mes bras en pleurant sur mon épaule. Elle écrasait ses gros seins sur mon torse. Je ne savais pas trop quoi faire. Je lui flattais maladroitement les épaules. Elle a repris contenance en me tenant les avant-bras. Ses beaux yeux verts étaient dilués dans les larmes. Sa voix tremblait. Elle était trop près de moi. Je sentais son haleine fétide.

— Il vous admirait tellement. Il voulait tellement pas vous décevoir. Il aurait tellement voulu finir sa thèse… Maudite dépression.

Elle me regardait avec des yeux désespérés. Ses ongles s'enfonçaient dans mes avant-bras. Je n'étais pas préparé à ça, j'ai dit la première idée qui m'a traversé la tête.

— Clément était un très bon chercheur. Il aurait fait un excellent prof.

À cette pensée – la pensée de son fils vieillissant heureux, peut-être avec une femme et des enfants –, elle s'est effondrée de nouveau sur moi en hurlant de peine. Je tentais de la réconforter, mais j'étais un peu dépassé. Avais-je gaffé ? Une parente, probablement sa sœur, est venue à la rescousse et l'a détournée pour la consoler.

Ébranlé, je me suis agenouillé devant le cercueil pour saluer mon étudiant une dernière fois. Sa longue face était trop maquillée. Sa bouche fermée dissimulait son hideuse dentition. Il avait l'air serein. J'ai murmuré :

— Ta thèse était excellente.

Je me suis levé, avant de m'esquiver un peu rapidement. Mon corps était tendu et j'avais le cœur qui pompait trop fort. Je me suis arrêté dans une taverne reconvertie en bar branché pour barbus tatoués. Le bar était désert. Des têtes d'autruche empaillées ornaient les murs. Du techno apaisant jouait. Le barman était effectivement barbu, avec une chemise carreautée dont les manches roulées révélaient des bras tatoués jusqu'aux mains. J'ai commandé un gin tonique au comptoir. Ainsi, Clément était dépressif. Je m'en doutais, mais il ne m'en avait jamais parlé. Était-il traité? Lui avais-je mis trop de pression en le relançant à Noël? J'ai commandé un autre verre.

On côtoie nos étudiants pendant des années. On leur transmet des connaissances. Parfois, on les accompagne dans une quête intellectuelle. On les voit grandir. Mais on ne les connaît pas.

*

Pendant la grande nuit des exploits du Carnaval étudiant, l'université était animée comme en plein jour. Chaque département devait réaliser une manœuvre d'exception notée par un jury. Dans le tunnel menant au centre sportif, les étudiants en génie mécanique avaient confectionné une immense glissade en neige.

Leurs confrères en informatique avaient réussi à intervertir le trafic des deux voies du pont. À la stupéfaction des chroniqueurs, la circulation était demeurée inversée pendant toute l'heure de pointe du matin, jusqu'à ce que la police intervienne. Une grande banderole avec le logo de la concentration avait été déployée entre les pylônes du pont. Les images avaient fait le tour du monde sur la toile.

La Nuit de la parole était organisée conjointement par les étudiants de littérature et de récréologie.

L'événement avait lieu dans l'atrium, un espace d'ordinaire triste et vide, gigantesque puits de lumière pour fenestrer les bureaux (dont le mien) qui donnaient vers l'intérieur du pavillon. Les étudiants en loisir avaient complètement métamorphosé l'endroit. Toutes les plantes de l'université avaient dû être déplacées ici. Une immense tour d'escalade avait été érigée au milieu d'une jungle tropicale. Plusieurs étudiants y étaient juchés comme des singes. Le sol était tapissé d'un tapis de faux gazon verdoyant. Il y avait des petites fontaines, une scène, un bar, des tables avec des parasols. L'éclairage était doux et changeant. Partout, des jeunes, assis sur des chaises ou par terre. Ambiance cool. On avait envie d'être ici.

À mon arrivée, Steeve est venu à ma rencontre. Il était spectaculaire dans sa redingote noire et sa chemise blanche à jabot. Son costume redressait sa posture et métamorphosait sa maigreur d'épouvantail en minceur élégante. Il avait lissé ses longs cheveux vers l'arrière, révélant son visage fin aux yeux allumés.

— Merci d'être venu, monsieur McKay. On vous a réservé une table avec madame Cyr.

Ma consœur Valérie Cyr était assise à une table en retrait, à côté de laquelle coulait une petite fontaine en forme de cruche antique. Je n'aimais pas beaucoup Valérie. Idéologiquement, nous n'avions rien en commun. C'était une féministe acharnée, dans la jeune quarantaine, intelligente, assez jolie, mais peu avenante, avec un visage dur, perpétuellement fru-fru-menstru. J'avais l'impression qu'elle considérait tous les hommes comme des gros beaufs misogynes. Elle enseignait la littérature des femmes. Récemment, elle s'était plainte dans une lettre ouverte que ses cours intéressaient peu les garçons.

Il y a cinq ans, on s'était affrontés ouvertement lors du débat sur le changement de nom du département.

C'est Valérie qui avait lancé le combat pour pluraliser la littérature, selon elle encore beaucoup trop blanche et mâle. En inscrivant dans son nom la diversité des littératures, le département enverrait un message d'inclusion et d'ouverture.

J'avais objecté que la grandeur de la littérature englobait par définition tous les styles et toutes les formes, et qu'un grand chapiteau rassemblant la diversité était bien plus inclusif qu'un camping où chacun se cachait dans sa tente. Le débat avait fait rage et une ligne de fracture très nette avait déchiré le département. D'un côté, les vieux profs mâles et blancs; de l'autre, les femmes, les jeunes et les immigrés. Le vote avait été très serré et le changement l'avait emporté.

La nouvelle gauche me sidérait. En exacerbant les particularismes individuels et les minorités, elle évacuait les grandes solidarités et les projets collectifs qui avaient été sa raison d'être au dernier siècle. Pour les croisés de l'altérité, la seule option politique valable consistait en un État post-national agglomérant des individus et des minorités, encouragés à revendiquer leurs différences dans l'espace public et par voie judiciaire. Un projet paradoxalement compatible avec celui de la droite néolibérale individualiste. Dans ces conditions, sur quel socle ériger les *Raisons communes* si chères à Fernand Dumont?

Quoi qu'il en soit, que ça me plaise ou non, j'enseignais dorénavant au Département *des* littératures. Valérie et moi ne nous étions plus adressé la parole depuis le jour du grand schisme.

— Bonsoir, René.

— Salut, Valérie.

Je me suis assis. Elle a pris les devants:

— Qu'est-ce qu'ils t'ont donné à lire?

— Arthur Buies. Toi?

— Louky Bersianik.

— Ils nous connaissent bien, les petits crisses.

Un temps a passé. Léger malaise. Deux généraux ennemis attablés en terrain neutre pour parlementer. Valérie a proposé une trêve.

— J'ai su pour Clément Pépin. Vraiment triste. Mes sympathies.

— Merci. Pauvre gars. Pauvres parents. Aux funérailles, sa mère m'a pleuré dans les bras.

J'ai vu qu'elle avait presque fini son verre.

— Tu veux une autre bière?

— Pourquoi pas.

Je suis allé nous ravitailler au bar. Valérie et moi étions les seuls profs de la place. Les jeunes étaient visiblement honorés de notre présence. Ils étaient tous très courtois. Je suis revenu avec les bières. Valérie a bu une longue gorgée. Elle avait les cheveux courts et un joli visage enfantin. Derrière ses lunettes carrées, ses beaux grands yeux bruns semblaient regarder très loin.

— Moi, ça m'est arrivé il y a deux ans. Une de mes étudiantes s'est tuée. Camille Hermelin. Une fille brillante.

— Malheureusement, c'est rarement les imbéciles qui se suicident.

— Toi, est-ce que Clément se confiait à toi?

— Pas du tout. À vrai dire, en dehors de sa thèse, je ne savais rien de lui.

— Moi, Camille venait souvent me parler dans mon bureau. Je l'écoutais, j'essayais de la conseiller, mais ça n'a rien donné. Elle a mis un tuyau sur le char dans le garage de ses parents. Une mort très douce. Quand sa mère l'a trouvée, *The Sound of Silence* tournait en boucle dans l'auto… Ça m'a vraiment *shakée*.

— Je te comprends. Mais qu'est-ce qu'ils ont à être si malheureux, les jeunes?

— Je ne sais pas. Ils ont beaucoup de pression.

— Ben voyons donc. En médecine peut-être. Mais en lettres, la seule pression à gérer, c'est celle du baril de draft à la Chasse-galerie.

— Il y en a plusieurs qui ont des maladies mentales non diagnostiquées.

— Clément était dépressif.

— Peut-être que leur vie manque de sens. Pis honnêtement, des fois je les comprends.

— Quant à ça, moi aussi.

À vingt-deux heures pile, la soirée s'est mise en branle. Héloïse et Steeve coanimaient. Un duo efficace et complémentaire. Steeve était plus calme, Héloïse charmait l'assemblée avec humour et dynamisme. Elle était jolie, avec une robe tulipe et des Doc Martens rouge pompier. Elle avait remonté ses dreads en un gigantesque chignon, ce qui dégageait son beau visage délicat. Les étudiants se succédaient au lutrin pour lire de courts textes. Poésie, essai, roman, théâtre, recettes de coktails, ça allait dans tous les sens. Une thématique traversait le corpus : la révolte. Plus la soirée progressait, plus les références des lecteurs à un vote de grève imminent se multipliaient. J'ai demandé à Valérie :

— Pourquoi ils veulent faire la grève ?

— Le gouvernement va hausser les frais de scolarité de 75 %.

— Eh ben…

Steeve est venu me chercher pour ma lecture. La salle était bondée et surchauffée, mais la qualité d'écoute était incroyable. Le texte de Buies était magnifique. Une violente dénonciation de l'apathie du peuple, écrite en 1867, mais terriblement actuelle. La chute était assassine :

Regardez au loin ces campagnes immobiles, enfouies dans le repos, où nul souffle n'arrive, d'où aucun souffle ne part. Le bonheur et l'aisance semblent y habiter… mais ce bonheur, cette tranquillité apparente, sait-on bien à quel prix on les achète ? Il y a des pays où l'ordre règne par la tyrannie des baïonnettes ; il y en a d'autres où la paix s'étend comme un vaste linceul sur les intelligences. Ici, point de révolte de la conscience ou de l'esprit brutalement subjugué ; point de tentative d'émancipation, parce qu'il n'y a ni persécution, ni despotisme visible. Les hommes naissent, vivent, meurent, inconscients de ce qui les entoure, heureux de leur repos, incrédules ou rebelles à toute idée nouvelle qui vient frapper leur somnolence.

Dans un contexte d'appel à la grève, cette harangue prenait l'allure d'un brûlot. Je n'ai jamais autant été applaudi de ma vie. Grisé, je suis redescendu de l'estrade sous les acclamations et les tapes dans le dos des étudiants. Steeve a repris le micro.

— Je vais vous lire l'organigramme de notre université.

Calmement, il a fait la nomenclature d'une interminable série de structures administratives.

— Rectorat… Vice-Rectorat… Secrétariat des diplômes… Commission des diplômes… Commission de la recherche… Bureau du secrétariat général… Greffe… Contentieux… Division de la gestion des documents administratifs et des archives… Bureau de l'ombudsman… Bureau de l'audit interne… Service des finances… Service des immeubles… Reprographie… Direction santé et mieux-être au travail…

Une litanie monocorde de fonctions et de titres abstraits. Une transe hypnotique. À la fin, il a brandi sa feuille et regardé la foule suspendue à sa voix.

— Dans cet organigramme, les étudiants n'apparaissent nulle part.

Dans un geste théâtral, il a déchiré l'organigramme en deux. Un tonnerre d'applaudissements mêlé de huées a salué sa prestation. La colère grondait. Il a laissé la place à ma consœur Valerie, qui s'est installée, toute menue derrière le lutrin. Elle avait l'air d'une mésange sur une mangeoire. Elle a récité avec force et douceur un collage de Louky Bersianik. Une phrase m'a particulièrement interpellé : *Si une femme a du génie, on dit qu'elle est folle. Si un homme est fou, on dit qu'il a du génie.* Qu'est-ce qui m'arrivait ? Ça faisait deux fois en une semaine que j'étais interpellé par la pensée féministe. Valérie a été ovationnée tant par les filles que par les gars.

Un petit blond lui a succédé. La foule l'a accueilli comme une rock star. J'ai demandé à Valérie :

— C'est qui, lui ?

— Alexis Binet-Caron. Il étudie en anthropo. C'est le porte-parole de la coalition étudiante.

Avec charisme et aplomb, il a lu un texte de Régis de Trobriand intitulé *Le Rebelle*, qui relatait une harangue patriote à l'aube de la Rébellion de 37-38.

— *En vain, nous nous sommes donné de nouveaux magistrats ; en vain nous avons renvoyé les commissions de milice que nous tenions de nos oppresseurs ; en vain nous nous sommes astreints à des privations réelles d'habillement, de nourriture même ! pour tarir les sources où s'engraissent les sangsues anglaises. Tout cela est insuffisant, il nous faut faire plus ! Aux armes !*

Emporté par sa lecture, Alexis avait crié les derniers mots avec un réalisme saisissant. La mise en abyme était habile ; d'un seul bond, les étudiants se sont levés, poings en l'air, en scandant à l'unisson :

— Grève générale illimitée ! Grève générale illimitée ! Grève générale illimitée !

Il était minuit. L'atrium était plein d'une fougue et d'une détermination que je n'avais jamais soupçonnées chez mes étudiants. Cette énergie était aussi grisante qu'inquiétante. Le déferlement de l'eau dormante finalement libérée du barrage. J'en frissonnais. À mes côtés, Valérie souriait en contemplant la jeunesse au poing levé. Dans ses yeux, il y avait de la fierté. À travers la puissance d'un mantra collectif répété d'un seul souffle, je l'ai entendue murmurer pour elle-même :

— Enfin, ils se réveillent.

*

Trois jours plus tard, une grève illimitée était votée lors d'une assemblée générale étudiante spéciale. Notre université était la première à entrer en grève pour contester une hausse de 75 % décrétée par le gouvernement et effective au prochain budget.

Sur le campus, l'ambiance était électrifiée. D'ordinaire apathiques et perdus dans leur téléphone, les étudiants avaient une nouvelle énergie. Des kiosques avaient envahi l'agora. On y expliquait les enjeux de la gratuité scolaire et les conséquences de la hausse pour l'accessibilité de l'éducation. Le long des fenêtres de la cafétéria, un collectif d'étudiants en arts visuels imprimait des affiches dont ils avaient tapissé l'université. Une de leurs créations était particulièrement remarquable. Elle reprenait le drapeau fleurdelysé, sauf que la croix blanche avait été remplacée par un albatros aux ailes déployées sur fond d'azur. L'oiseau s'envolait vers le haut et son cœur était formé d'un carré rouge. La devise indiquait : Je me soulève.

C'était comme ça que je m'étais imaginé l'université quand j'y étais entré en 1980. Je les enviais, ces jeunes, de pouvoir jouer à la révolution. Moi, je n'étais pas né au bon moment. La seule révolution que j'avais jamais faite, c'était celle qui me ramenait au même point après vingt-quatre heures de rotation terrestre.

La réunion départementale était plus animée que d'habitude. Tous les profs parlaient de la grève. En varia, Valérie Cyr avait proposé que le Département des littératures appuie la grève étudiante. Chacun avait son avis. La Pute était résolument contre. Il avait des projets à mener et il était hors de question de légitimer cette «perturbation puérile d'enfants-rois». Il avait l'appui de plusieurs vieux profs, surtout ceux avec des doctorants ou des projets de recherche en cours.

Sorti du champ gauche, Napoléon Cherenfant a lancé une citation d'Horace Pauléus :

— «Ce qui amène le triomphe des révolutions, c'est moins peut-être l'habileté des meneurs que les fautes, la maladresse ou les crimes des gouvernements.»

Les jeunes profs étaient divisés. Certains (dont Valérie Cyr) estimaient qu'il en allait de notre devoir moral d'appuyer la décision démocratique des étudiants. Après tout, le vote de grève était passé à plus de 80 %.

— On se plaint tout le temps qu'ils ne foutent rien. Là, ils se tiennent debout devant un gouvernement pourri. On ne va pas les laisser tomber. *Come on !*

D'autres jeunes profs, qui n'avaient pas encore leur permanence, hésitaient à bouleverser l'ordre établi. Yvan Lefort a rappelé que les négociations syndicales étaient toujours en cours. La position du syndicat était claire :

— Si les jeunes sont en grève, on va respecter les piquets. Mais d'un point de vue tactique, pour nos négociations avec la direction, on ne gagne rien à les appuyer. Il faut être pragmatique : la hausse des droits de scolarité va générer des nouveaux revenus pour permettre à l'université de satisfaire nos demandes.

Un jeune prof anarchiste s'est emporté :

— Crisse de syndicat bourgeois. Toujours assis sur vos privilèges. Vous êtes honteux ! Dans une lutte révolutionnaire, il faut toujours appuyer les opprimés.

Ti-Coq a répliqué du tac au tac :

— Ben, s'ils veulent faire la révolution, qu'ils aillent la faire au *paint ball.*

Un tumulte chaotique a suivi sa provocation. Je n'avais plus vu le département aussi enflammé depuis le changement de nom il y a cinq ans. Dragon en avait plein les bras. Elle a finalement ramené tout le monde à l'ordre. On a procédé au vote secret. Dans son coin, Georges avait tout écouté comme un vieux hibou sur sa branche. Il ne disait mot, mais n'en pensait pas moins.

— Toi, qu'est-ce que t'en penses?

— Il faut faire confiance aux jeunes. S'ils ne contestent pas à vingt ans, ils ne le feront jamais.

Je n'avais pas de projet de recherche. Je n'avais plus de doctorant. Si les jeunes voulaient se geler le cul dans la rue au lieu de suivre mes cours, qui étais-je pour les en empêcher? Je ne pouvais pas leur refuser ce que j'avais rêvé de faire à leur âge.

Dragon a annoncé le résultat du vote. On la sentait déçue.

— Pour l'appui à la grève : six. Contre : neuf. Cinq abstentions. La démocratie a parlé : le Département des littératures n'appuiera pas la grève étudiante. On va voir pour la suite, mais d'ici là, vous donnez vos cours comme d'habitude.

*

Dans mon cours *Imaginaire social et littéraire,* je n'avais que cinq étudiants. Je leur ai demandé de commenter l'hypothèse de Houellebecq voulant que depuis la révolution féministe, les femmes occidentales aient perdu le goût de donner du plaisir à leur partenaire.

Une fille à lunettes allait répondre lorsque trois étudiants sont entrés dans la classe. Ils arboraient le carré rouge comme une médaille militaire. Une petite trapue s'est adressée à moi d'un ton cassant :

— Les étudiants sont en grève. Vous pouvez pas donner de cours.

La fille à lunettes s'est interposée :

— C'est pas une grève, c'est un boycott. Si vous voulez perdre votre session, c'est votre affaire. Moi, j'ai payé pour mon cours, je veux mon cours.

Un des carrés rouges, un grand maigre avec un afro et un keffieh autour du cou, a répliqué :

— C'est justement pour que ça te coûte moins cher qu'on fait la grève. Le vote est passé à 80 %. Vous devez respectez la démocratie étudiante.

Tout le monde s'est tourné vers moi. J'étais bien emmerdé. De toute façon, à cinq, le cours était foutu. Les autres allaient prendre trop de retard.

— *Vox populi, vox dei.* Le cours est annulé pour aujourd'hui.

J'ai ramassé mes affaires et je suis parti en vitesse. Mes étudiants ont maugréé devant ma capitulation. Satisfait, le trio de carrés rouges est entré dans la classe de La Pute. Ce serait pas mal plus difficile avec lui.

Je suis rentré chez moi pensif. Cette grève, ce n'était pas sérieux. À part se retweeter mutuellement, cette génération nombriliste était incapable d'entreprendre quoi que ce soit de collectif. Ils voulaient faire la révolution, mais personne ne voulait faire la vaisselle. Après quelques jours de congé à bêler des slogans débiles, ils rentreraient à la bergerie pour se faire tondre. Tout cela serait terminé à mon retour de Suède.

2

EXTINCTION
CRÉTACÉ-TERTIAIRE

*Je demande à tout homme qui pense
de me montrer ce qui subsiste de la vie.*

CHARLES BAUDELAIRE, *Les Fusées*

J'aimais bien les aéroports, environnements de transition à la fois familiers et exotiques. Sas entre deux univers; plus tout à fait ici, pas encore ailleurs. Théâtres bourdonnants et bigarrés, chargés de promesses et de rêves. Endroits de toutes les retrouvailles; lieux de tous les adieux.

À l'enregistrement des bagages, un bébé me hurlait dans les oreilles. J'espérais de toutes mes forces ne pas être assis à côté de lui pendant le vol. La sonorité des pleurs d'un bébé est l'une des plus désagréables à l'oreille humaine. La force et la fréquence des cris sont spécialement conçues pour que les adultes mettent fin au supplice auditif en répondant aux besoins de l'enfant le plus rapidement possible. Totalement dépendants des soins prodigués par les adultes, les nouveau-nés doivent leur survie à leur beauté et à leurs pleurs. Depuis la naissance de Mathieu, les cris de bébé déclenchaient chez moi une réaction instinctive de fuite.

Il avait été un enfant plutôt difficile. Jusqu'à deux ans, presque toutes les nuits, il s'éveillait en hurlant, terrorisé par je ne sais quel démon. Ses pleurs nocturnes m'arrachaient de mon lit dans un sursaut paniqué. J'allais le bercer dans la nuit, face à la fenêtre qui donnait sur la rue. Je me sentais profondément incompétent devant ses pleurs. J'avais l'impression d'être sous l'emprise d'un petit emmerdeur égocentrique qui demandait beaucoup, mais ne redonnait rien. Vicky était beaucoup plus habile que moi pour décoder ses larmes et son babil. Dès que Mathieu a su parler, j'ai commencé à l'aimer. Il était curieux de tout ; je l'avais baptisé monsieur Pourquoi. En fait, le meilleur de ma relation avec mon fils s'est déroulé entre six et douze ans. Le temps de l'école primaire.

À son arrivée au secondaire, Mathieu est redevenu un bébé chialeur et colérique. Même son langage avait régressé : lui qui s'exprimait si précisément, il avait de nouveau recours aux marmonnements et aux monosyllabes. C'était à se demander s'il n'allait pas recommencer à pisser au lit. À ses yeux, j'étais devenu le ringard des ringards. Il ne voulait plus rien savoir de mes enseignements. Enchaîné à son téléphone, il est passé de monsieur Pourquoi à monsieur Baboune.

À seize ans, son ingratitude a atteint des sommets. Lors d'un jour de tempête, je pelletais l'entrée comme un forcené, alors qu'il était bien au chaud devant la télé. Le salon donnait sur l'entrée. Il ne pouvait pas ne pas me voir. Dégoulinant de neige, je suis venu lui demander de m'aider. Il m'a regardé sans rien dire, avec un détachement chargé de mépris. J'ai explosé, sidéré par sa fainéantise et son arrogance. Il a répliqué. Je l'ai giflé en lui souhaitant d'avoir un enfant aussi minable que lui. N'eût été de Vicky, on se serait sauté dessus.

Dès sa naissance, une tortue marine est déjà autonome et peut se débrouiller dans la vie. Elle ne connaîtra jamais ses parents. Environ un nouveau-né sur mille atteindra l'âge de se reproduire. J'aurais fait un très bon père tortue.

Mon bagage était trop pesant. On me demandait cent dollars d'extra pour la deuxième valise contenant les trente exemplaires du collectif où j'avais publié mon article sur le point-virgule. Telle était la valeur du poids de ma plume. Avec un peu de chance, ma présentation serait un succès et je me rembourserais avec les ventes de livres.

Dans l'avion, j'étais coincé à côté d'un obèse morbide. Le pauvre type débordait de son siège comme un muffin de son moule. Évidemment, l'avion était plein. Je ne pouvais pas changer de place. Six heures d'indécente proximité avec un inconnu, dont la cuisse grosse comme un cochon me touchait sans arrêt. Moi j'en avais pour six heures, lui c'était pour toute sa vie. Il est resté assis tout le long, presque sans bouger, prisonnier de sa graisse.

J'avais une correspondance à Paris. Huit heures à tuer dans un terminal isolé de Charles-de-Gaulle, où les petites bouteilles d'eau étaient à deux euros. Comment une ressource qui tombe du ciel pouvait-elle être plus chère que l'essence? L'économie est une imposture.

Dans l'aéroport, la sécurité était partout, mais on ne se sentait pas plus en sécurité. Des adolescents déguisés en soldats de la République déambulaient en riant, mitraillette en main. Pauvre France. Voilà un pays qui avait aveuglé le monde de ses lumières artistiques, culinaires, intellectuelles, linguistiques, politiques et diplomatiques jusqu'à la moitié du dernier siècle. Il ne restait de cette lumière qu'une petite bougie vacillante au fond d'une lanterne aux vitres noircies par la peur. Mais les Français n'étaient pas les seuls à galérer; attaqué au cœur de ses valeurs, incapable de s'aimer, c'est l'Occident au complet qui devait gérer son déclin.

On m'a réclamé soixante euros de supplément pour ma foutue valise de livres. Tout ça devenait ridicule. Je n'aurais jamais dû apporter autant de livres. Depuis quand je me prenais pour J. K. Rowling?

J'aurais pu trouver le terminal pour Stockholm juste en regardant les passagers qui s'y trouvaient. Tous grands, tous blonds, tous beaux. Je ne comprenais rien de leur langue étrange. Je me sentais minable à côté d'eux ; poney parmi les étalons.

Le vol s'est très bien passé. Je suis arrivé à Stockholm pour souper. J'étais affamé et fatigué, mais impatient de respirer un air neuf. À la douane, le jeune agent était sympathique et détendu. Je serais passé comme une lettre à la poste, mais j'ai insisté pour faire tamponner mon passeport. J'ai pris le métro jusqu'à la vieille ville. Les roues de mes valises claquaient sur les pavés avec un bruit de rafale de mitraillette.

La capitale suédoise est un archipel lacustre au confluent du lac Mälar et de la mer Baltique. Une authentique ville nordique. Même en plein hiver, les terrasses étaient fréquentées. Par-dessus leur pantalon ou leur leggings, les filles portaient une espèce de jupe hivernale. L'élégance viking ne sacrifiait rien au confort.

Une fine neige tombait et la ville scintillait, comme enfermée dans un globe miniature en plastique. La vieille Europe, quand même. Respect. On sent qu'il s'y est passé tellement de choses.

Je logeais à l'hôtel Lord Nelson, au cœur du quartier historique de Gamla Stan. La réceptionniste était jeune et magnifique. Blonde, évidemment. Comme tous les Suédois, elle parlait un anglais impeccable. Joliment décoré avec des artefacts marins cuivrés, l'hôtel était dédié à l'amiral Nelson, vainqueur de Trafalgar. Je me demandais ce que les Suédois pouvaient bien avoir à cirer d'une bataille entre les flottes anglaise et franco-espagnole. Ma chambre était petite et coquette, comme une cabine de bateau. J'ai posé mes valises et je suis allé manger. Des harengs avec du schnaps. Ce premier contact avec la Scandinavie était parfaitement réussi.

*

Complètement décalé, je me suis levé à midi. Une magnifique journée d'hiver ensoleillée. J'étais encore fatigué, mais Stockholm m'attendait. Mon hôtel était à un jet de pierre du palais royal, majestueuse construction néo-classique abritant un total de mille quatre cent trente pièces. Tout cela aux frais des loyaux sujets. La monarchie est un mystère.

Dans les boutiques de souvenirs de Regerinsgatan, le maillot de la gloire nationale Zlatan Ibrahimović était partout. La superstar du foot suédois était d'origine serbo-croate et jouait en Angleterre. Et si l'avenir n'annonçait pas la fin des identités nationales, mais leur amalgame?

Je suis allé aux bains. Construit au début du dernier siècle, le Centralbadet était le plus vieil établissement du genre à Stockholm. Dans la vapeur de l'eau chaude, les femmes étaient magnifiques. Une beauté naturelle de Walkyrie, sans chirurgie ni *tattoos*. Pas besoin d'ornements quand l'agencement des gènes est parfait. Les hommes de mon âge étaient grands et avaient l'air en santé. Ils me ramenaient à ma propre déchéance.

Étrangement, dans un contexte de sauna, la quasi-nudité des femmes n'attisait aucun désir en moi. Comme un animal en dehors de la saison des amours. Immergé dans l'eau chaude, je sentais mon esprit s'échapper de mon corps. Mes soucis se dissolvaient dans la chaleur.

À ma sortie des bains, j'ai eu un choc; il n'était que quinze heures trente, mais la nuit était tombée comme une enclume. Tout à fait déprimant. Je suis rentré à l'hôtel en taxi, ne sachant plus quoi faire d'autre. J'ai essayé de me branler en pensant à Vicky, mais ça n'a pas fonctionné. Le souvenir de son corps était trop loin. Je me suis endormi devant une compétition de saut à ski à la télé.

*

Ma présentation avait lieu à la Stockholms universitet dans le nord de la ville. J'étais frappé par la fluidité de la circulation. Trams, autos, vélos, piétons, tous ces modes de transport cohabitaient en un ballet fonctionnel et civilisé. Comme des globules dans les veines. Si l'on pouvait reconnaître l'avancement d'une civilisation à sa capacité de transporter ses individus, les Suédois allaient certainement être les premiers à se téléporter.

Situé dans un parc, le campus était très beau. Des bâtiments modernes intégraient du bois et une fenestration abondante. C'était aussi bien; avec aussi peu de soleil en hiver, la lumière n'est pas un lux. La jeunesse universitaire était diversifiée par l'immigration et les étudiants avaient l'air à la fois cool et sérieux. La mode des barbes de bûcherons urbains n'avait pas encore contaminé les jeunes Suédois. Odin les en préserve. De toute façon, le temps qu'ils se la fassent pousser, la tendance serait déjà passée.

Le Département d'études romanes et classiques était relégué au fond du campus, dans un bâtiment terne comme un camp de réfugiés monté à la hâte. Des affiches présentant la conférence indiquaient le local où se rendre. Mon nom était inscrit sur un autocollant. En l'enlevant, j'ai découvert celui que je remplaçais: Stéphane Richard. J'étais le bouche-trou de La Pute!

À l'entrée de la salle de classe, Irène Ponge m'attendait. C'était une petite quinquagénaire dynamique, aux cheveux noirs à la Cléopâtre et au sourire espiègle. Elle m'a accueilli chaleureusement.

114

— Monsieur McKay. Irène Ponge. Merci d'être là. C'est vraiment gentil à vous d'avoir accepté de remplacer monsieur Richard à la dernière minute.

Je m'étais imaginé triompher devant un auditorium bondé de jeunes Suédoises charmées par mon intelligence. Nous étions une douzaine, dont la moitié étaient des vieux profs de français. Quelques étudiants timides étaient assis au fond de la classe. J'ai roulé piteusement ma valise pleine de livres à la table où je prenais place avec deux autres types. Irène a démarré la table ronde. Elle a présenté les panélistes et salué ses étudiants, des Suédois qui étudiaient le français langue seconde.

Mes deux collègues français parlaient avant moi. Michel Pin, un gros morse à moustache et aux yeux globuleux, nous a entretenus du mystère de la bête du Gévaudan. Ses recherches étaient formelles : l'animal qui avait terrorisé la Lozère de 1764 à 1767 était un loup dressé par un tueur en série. La bête avait tenu en échec les meilleurs chasseurs de France et on lui devait une centaine de meurtres. Pin était un habile conteur, mais les étudiants avaient quand même l'air de ne pas tout capter. Quelques-uns dérivaient discrètement sur leur téléphone.

Jacques Le Guelec est ensuite entré en scène. Il ressemblait à Gandalf, mais en plus osseux, avec des cheveux blancs déployés en ailes ébouriffées. Il avait des yeux d'enfant trop mobiles et ses cernes avaient des cernes. C'était un spécialiste de Joachim du Bellay, cofondateur des poètes de la Pléiade. Avec le manifeste de la *Défense et illustration de la langue française* rédigé en 1549, le poète envisageait de rendre le français aussi digne que le grec et le latin. Très intéressant sur le fond, Le Guelec s'embourbait dans les digressions et des blagues qui ne faisaient rire que lui. À ce moment, il ne restait qu'une étudiante attentive, une belle blonde qui prenait des notes. Tous les autres étaient sur leur téléphone.

Ma présentation était laborieuse ; mon ton était monocorde, mécanique, sans aucune énergie. Épuisé, un étudiant est sorti. Un autre l'a suivi. La salle se vidait. J'ai conclu prématurément pour endiguer l'hémorragie. Il fallait se rendre à l'évidence : le point-virgule était condamné à l'oubli et mes idées n'intéressaient pas la jeunesse. Intellectuellement, j'avais fait mon temps.

Avec un sourire crispé, Irène a demandé avec un peu trop d'entrain aux spectateurs restants s'il y avait des questions. Un vieux type avec une veste en tweed et des pièces de cuir aux coudes a demandé à Pin si la bête du Gévaudan était une légende. Trop heureux de pouvoir parler, le gros Français a pris le plancher en énumérant les apparitions de la bête en littérature. Irène m'a posé une question par pure politesse :

— Selon vous, est-ce que le point-virgule va disparaître de la langue française ? Si oui, est-ce une perte ou une évolution ?

J'ai répondu n'importe quoi, pour en finir au plus vite.

— En devenant humain et bipède, le singe a perdu sa queue. Dans la nature, tout ce qui est inutile disparaît.

J'ai eu un bref regard à ma gauche, du côté de Jacques Le Guelec.

— Mais on ne peut rien garantir. Le texto a ramené le point-virgule, mais dans un usage différent. On s'en sert maintenant comme clin d'œil.

La jeune étudiante me fixait de ses yeux bleus hypnotisants. Je lui ai fait un clin d'œil obscène. Elle a baissé la tête, gênée. Troublé, j'ai conclu avec une phrase ambiguë.

— D'un point de vue évolutif, c'est la fonction qui crée l'organe. Merci de votre attention. J'ai des livres à vendre si ça vous intéresse.

Pendant qu'Irène remerciait tout le monde, j'ai disposé quelques livres sur la table. Enfin libérés, tous les étudiants sont partis, sauf la jeune blonde. J'allais me diriger vers elle, lorsque Le Guelec m'a saisi l'avant-bras. Il se tenait trop près de moi. Ses dents étaient jaunies par la cigarette et usées comme celles d'un ruminant. Il devait souffrir de bruxisme sévère.

— Très intéressant. Vous croyez vraiment que le texto est l'avenir du français?

Derrière lui, je voyais l'étudiante feuilleter mon livre. J'aurais dû bondir, mais Le Guelec m'assiégeait. Plus je reculais, plus il avançait vers moi. Il a fini par m'acculer dans un coin. À ce moment-là, le texto était la dernière de mes préoccupations, mais il me relançait avec des yeux trop intéressés. J'avais juste envie de lui hurler d'aller se passer une soie dentaire avec de la broche à clôture. Lorsque j'ai pu me dégager de son emprise, l'étudiante avait disparu.

Irène a proposé qu'on aille manger. Après ce retentissant ratage, c'est tout ce qu'il me restait à faire. Une roue de ma valise était bloquée. Le raclement sur le pavé émettait une sinistre lamentation qui faisait se retourner toutes les têtes vers moi. Mes livres étaient de plus en plus lourds à porter. Je les traînais comme le boulet de ma pensée dépassée.

Au restaurant, Irène a commandé pour tout le monde dans un suédois fort correct. Elle vivait en Suède depuis vingt ans, son mari était Suédois et leurs enfants allaient à l'école en suédois. Une belle intégration réussie, mais ce n'était pas le cas pour tous. Malgré son vernis progressiste et libéral, la Suède avait récemment resserré ses lois concernant les migrants et le droit d'asile.

117

Assis à ma droite, Le Guelec était dans ma bulle. J'étais presque penché à quarante-cinq degrés pour éviter qu'il ne me touche. Il a soupiré :

— C'est dommage, la Suède avait une si belle tradition d'accueil.

Irène a répondu :

— C'est vrai, mais depuis que le Danemark a verrouillé ses frontières, les migrants veulent tous venir ici. La Suède et l'Allemagne ne peuvent pas être les seules à ramer, c'est toute l'Europe qui est concernée.

La bouche encore pleine de harengs, Michel Pin a résumé la situation :

— L'Europe est un naufrage. Et dans un naufrage, on ne peut pas sauver tout le monde, sinon c'est tout le monde qui va couler.

Jacques s'est raidi, scandalisé. Son visage de bon druide s'est plissé en celui d'un sinistre sorcier. Il s'est penché vers Pin en le pointant d'un index arthritique et péremptoire. Au moins, il ne me touchait plus.

— Einstein était un immigrant. Gainsbourg était fils d'immigrant. L'immigration n'est jamais un échec !

Pin a ravalé un rot avant de répliquer :

— C'est justement ce genre d'évangiles à deux balles qui pousse le peuple dans les bras du Front national.

Les esprits s'échauffaient, mais la serveuse est arrivée à temps. Elle a parlé brièvement à Irène, qui lui a répondu quelques mots. La serveuse s'en est retournée avec un air ahuri. Le Guelec a demandé à Irène :

— Qu'est-ce que vous lui avez dit ?

— Elle m'a demandé si ça allait bien pour nous. Je lui ai répondu que tout allait bien jusqu'à ce qu'on parle d'immigration, mais que le chef n'y était pour rien.

Michel Pin a échappé un rire gras en projetant des parcelles de boulettes suédoises dans sa moustache. Le Guelec s'est levé sèchement pour s'esquiver aux toilettes. Irène s'est levée pour aller payer. Je n'avais pas vraiment suivi la conversation; avec ma fourchette, je m'appliquais à percer une rangée de petits trous dans mon napperon de papier.

*

J'avais trois jours à tuer avant de rentrer. Irène avait proposé de m'accompagner dans une visite de la région, mais j'avais besoin d'expier l'échec de ma présentation. J'ai décidé de me rendre en Estonie. Un traversier assurait la navette entre Stockholm et Tallinn. Il s'agissait d'un aller-retour de trente-quatre heures dans la mer Baltique, entrecoupé d'une halte de huit heures en Estonie. Je partageais une cabine avec trois jeunes Suédois très polis. Sitôt mes bagages posés, je suis sorti sur le pont.

Le soleil se couchait rapidement sur Stockholm. Littéralement, une boule de feu s'écrasait sur la ville à vue d'œil. Le ciel était maculé de mauve et de rose. Les conifères de la côte étaient saupoudrés de neige. L'air était vif et froid. Avec application, je détachais les glaçons suspendus au bastingage avant de les lancer dans l'eau noire. Pendant leur trajectoire, la lumière faisait miroiter la glace en reflets scintillants.

Comme si elle avait trébuché, la nuit est tombée d'un seul coup. Les lueurs de la côte formaient des constellations semblables aux schémas de neurones connectés. Le vent du large était glacial. J'ai remonté le capuchon de mon parka. J'ai laissé les lumières de Stockholm se dissoudre dans la nuit et je suis rentré.

Les nombreux bars du traversier étaient assiégés par des jeunes en état d'ébriété. De la musique techno pulsait de partout. Je me suis faufilé au comptoir pour commander une bouteille de vodka. Les prix étaient nettement moins élevés qu'à Stockholm.

Sous les lumières mouvantes du plancher de danse, les crinières blondes des filles resplendissaient de mille reflets. Un jeune m'a interpellé en français.

— Bonsoir, monsieur. Je m'appelle Eric et j'étais à la table ronde ce matin. Qu'est-ce que vous faites ici ?

Je me souvenais de lui ; c'était un de ceux qui étaient sortis pendant mon allocution.

— Je vais voir l'Estonie. Toi, qu'est-ce que tu fais ici ?

— Acheter de l'alcool.

Je devais faire une drôle de tête. Il a précisé :

— En Suède, l'alcool est très taxé. Du coup, on va acheter l'alcool en Estonie, ça coûte moins cher. Et sur le bateau, on fait la fête !

Je lui ai rempli un verre de ma vodka. Nous avons trinqué.

— Skål !

Eric a poursuivi :

— L'alcool, c'est tabou chez nous. On boit pas souvent, mais quand on boit, ça donne ça.

Devant nous, une bagarre avait éclaté entre deux types, des jeunes au crâne rasé en survêtement Adidas ; probablement des Estoniens ou des Russes, selon Eric. Une foule avait fait cercle autour d'eux et les encourageait comme des Romains au cirque. Deux énormes préposés à la sécurité les ont séparés et escortés. L'un des deux pugilistes avait le visage en sang et riait comme un dément.

La musique était trop forte et la pulsation monotone m'assommait. J'ai pris congé et je suis sorti me promener avec ma bouteille. Le traversier était une épave. Partout, des jeunes saouls morts titubaient, ramollis et abrutis. Sur le pont, ça grouillait et gargouillait dans tous les coins, on aurait dit que des zombies avaient envahi le bateau.

La nuit était d'un noir opaque, comme si le bateau naviguait dans un encrier. La nuit m'avalait et j'avalais la vodka. À la proue, un jeune couple rejouait la scène du *Titanic* entre Kate et Leonardo. Je ne comprenais rien de ce qu'ils disaient. J'ai regagné ma cabine.

Dans la coursive, je devais enjamber des corps tombés au combat. Avec le roulis du navire et la vodka, ça devenait difficile de marcher droit. Je progressais lentement, comme en pleine tempête, fermement agrippé à la main courante.

Errant à fond de cale dans un drakkar en perdition, je me suis égaré dans les entrailles d'acier du traversier. Après avoir descendu un escalier étroit et incliné comme une échelle, attiré par le grondement rassurant des moteurs, je me suis faufilé au cœur de la salle des machines. Le bruit était assourdissant et hypnotisant. L'odeur du diesel était envoûtante. Je ressentais la vibration des moteurs dans tout mon corps. Circulant dans un labyrinthe métallique de tuyaux, d'échelles, de passerelles et de tubulures, j'étais Jonas dans une baleine en fer.

Au détour d'une passerelle, j'ai surpris un couple de jeunes qui faisait l'amour. Je me suis tapi en embuscade pour les observer à la dérobée. Penchée vers l'avant, appuyée sur la balustrade, la fille avait baissé son leggings, mais elle avait encore son anorak. On ne voyait que ses fesses, blanches comme la banquise, et ses longues tresses blondes osciller comme des pendules. Le type faisait ce qu'il pouvait pour honorer sa compagne, mais il avait du mal à garder le rythme et l'équilibre.

À côté d'eux, une fille avec une tuque à gros pompon buvait à même une bouteille de vodka et regardait la scène avec détachement. Soudain, la fille qui faisait l'amour s'est mise à se gerber le long des tresses. Le grondement des machines couvrait tout ; le gars n'avait conscience de rien et continuait sa besogne, pendant que leur amie hurlait de rire en buvant à leur santé.

Un peu plus loin, un type filmait la scène avec son cell. La vidéo allait sûrement faire un tabac dans la section *Sweet Sweden* de YouTube.

*

À mon réveil, j'avais l'impression qu'Odin avait bu dans mon crâne. Deux de mes cochambreurs étaient lovés tout habillés dans la couchette du bas. Au-dessus de moi, le troisième avait laissé sa jambe et son bras pendre dans le vide. On aurait dit des cadavres sur une scène de crime. Je me suis habillé pour voir où le monde en était. La coursive empestait l'urine et le vomi. Je slalomais entre les bouteilles de vodka vides.

Sur le pont, un froid sec et vif m'a réveillé comme une claque au visage. Pendant que les matelots dérivaient, le navire avait bien vogué. Tallinn se révélait tout en contrastes, avec ses gratte-ciel hypermodernes qui scintillaient dans la lumière polaire et ses murailles médiévales encore intactes.

Petit à petit, les morts revenaient à la vie et s'agglutinaient sur le pont pour voir la ville. Les visages étaient fripés et les cheveux en bataille, mais à vingt ans, on est toujours beau. Quelques fêtards persistaient avec une bière à la main. À l'accostage, les passagers trépignaient d'impatience. Lorsque les passerelles se sont abaissées, le troupeau s'est rué dans les bistrots du port, comme des Vikings à l'assaut. Emporté par le flot, j'ai repris mon souffle au cœur de la vieille ville.

J'ai erré dans les dédales médiévaux, parmi les façades pastel et les pierres séculaires. La cathédrale Alexandre-Nevski était spectaculaire, avec ses dômes en gouttes et sa façade ouvragée. En circulant dans les rues, j'écoutais les conversations en essayant de distinguer l'estonien, un dérivé du finnois strictement incompréhensible, et le russe, une langue plus rugueuse, parlée par 40 % de la population de Tallinn. Dans une échoppe touristique, j'ai acheté un couteau à beurre en bois, avec un manche finement décoré.

À peine élevé au-dessus de l'horizon, le soleil était au bout de sa course et entamait sa descente. La grande horloge du port indiquait 14:37. Le port était animé et plusieurs traversiers y étaient amarrés. Des affiches annonçaient des départs pour Helsinki et Saint-Pétersbourg. Je n'avais jamais été aussi loin de chez moi.

En regagnant le traversier, j'ai rencontré des passagers qui ramenaient leurs provisions d'alcool. Ils roulaient des diables chargés de caisses de bière et de vodka. Visiblement, les fêtards avaient passé la journée dans les pubs et n'avaient pas dessaoulé de la veille.

Au retour vers Stockholm, il faisait déjà nuit. J'avais l'impression d'avoir rêvé cette escapade à Tallinn. Au bar, rien n'avait changé. La musique était toujours aussi forte et mauvaise. J'ai reconnu et salué mes trois cochambreurs. L'un d'eux est venu vers moi. Il était très grand et son visage était ravagé par l'acné. Affable, il tenait à s'excuser de leur déchéance de la veille. Il a fait signe à ses comparses, qui nous ont rejoints avec des shooters.

— Skål!

J'ai remis une tournée. Le grand s'appelait Mats. Il venait de Kiruna, une petite ville au nord, et finissait son droit à l'Université de Stockholm. Son but était d'aider les autochtones à faire valoir leurs droits ancestraux. En ce moment, les Samis étaient aux prises avec Wendigo Mining, une multinationale carnassière qui exploitait des gisements miniers au nord de la Suède. Réalisés sans permission sur des terres ancestrales, les forages perturbaient le pâturage des rennes élevés par les Samis. Tout ça ne m'intéressait pas beaucoup.

Les tournées de vodka se poursuivaient. Les jeunes buvaient vite et m'entraînaient dans le vortex de leur ivresse. Comme tous les ivrognes en conversation, je monologuais sur moi, en m'apitoyant sur mon sort de vieux prof inutile. Mats tentait bien de me remonter le moral en rappelant l'importance de l'éducation, mais rien n'y faisait : j'avais l'alcool triste. Trois filles sont arrivées au bar en riant bras dessus bras dessous. Instantanément, les gars se sont désintéressés de moi.

J'ai regagné ma cabine en titubant. Assis sur mon lit, je fixais ma valise de livres. Après mûre réflexion, je me suis levé et j'ai quitté la cabine en roulant la valise vers le pont arrière. Le bruit de la roue bloquée me rappelait le couinement des porcs à l'abattoir.

Dehors, le pont était désert. J'étais en t-shirt et j'avais atrocement froid. Parvenu à la poupe, j'ai ouvert la valise et j'ai commencé à jeter mon œuvre par-dessus bord. Méthodiquement, un par un, je lançais mes livres dans la Baltique. Comme un meurtrier qui se débarrasse de cadavres encombrants. Outardes abattues en plein vol, les volumes plongeaient dans l'eau sombre et disparaissaient dans l'écume du sillage.

— *Don't do that, sir.*

Derrière moi, une fille encapuchonnée dans un parka me regardait comme si j'allais sauter à l'eau. Son visage était perdu dans l'ombre du capuchon. Une main tendue vers moi, elle m'implorait de ne pas lancer mon dernier livre :

— *Books are important.*

Il fallait parler fort, à cause du vent. J'ai presque crié :

— *Books are heavy.*

Je lui ai tendu le livre, avant de balancer la valise à la mer. Je ne savais pas comment dire *point-virgule* en anglais. Pendant qu'elle tentait de déchiffrer la couverture, j'ai regagné rapidement ma cabine, les bras enroulés autour du torse. Malgré le froid, je me sentais libéré d'un grand poids.

3

PALÉOGÈNE

Quand j'étais petit, je voulais être une police ;
maintenant, je veux être étudiant.

Louis Fréchette Alepin,
six ans, printemps 2012

Dans l'avion du retour, j'ai feuilleté le magazine de la compagnie aérienne. Les photos étaient superbes et la mise en pages soignée. Tout le monde était musclé et bronzé. Un dossier vantait une destination de luxe dans une île du Pacifique. On y voyait une succession de cases rustiques, mais confortables, posées dans un lagon d'eau turquoise. L'article était titré « Un paradis sur pilotis » et citait Baudelaire : *Là où tout n'est qu'ordre et beauté, luxe, calme et volupté.* Il fallait le reconnaître, ces petits merdeux de rédacteurs publicitaires avaient des lettres. Probablement de mes anciens étudiants. La pub, c'était encore la meilleure façon de gagner de l'argent en écrivant.

Avant l'atterrissage, il fallait remplir une fiche pour la douane. *But du voyage : Professionnel.* Je n'avais pas été du tout professionnel, mais qui allait me dénoncer ? *Marchandises commerciales destinées à la revente : Non.* J'avais balancé tous mes livres dans la Baltique. *Valeur des marchandises achetées à l'étranger : 14,27 $.* C'était le prix de mon couteau à beurre au cours actuel de l'euro.

Le choc du retour en ville était brutal. Par rapport à Stockholm, tout était gris et laid. Des plaques de neige noircie s'étalaient au sol comme des tumeurs cancéreuses. Les rues étaient défoncées et souillées d'une soupe au calcium. Ici, on combattait l'hiver au lieu de vivre avec. On refusait le froid et on niait la neige.

À deux rues de chez moi, mon taxi s'est retrouvé coincé dans un embouteillage. Ça klaxonnait de partout. Le chauffeur s'est emporté en frappant le volant.

— Tabarnak d'étudiants!

Au loin, je distinguais les contours d'une manifestation qui défilait dans la rue transversale. Le chauffeur fulminait:

— Ça fait une semaine que c'est de même à tous les jours. Qu'y z'étudizent donc au lieu de bloquer les rues. Ça prend du monde qui travaille pour payer vos études!

— Vous, monsieur, êtes-vous allé à l'université?

— Non. Fallait que je travaille. Avance, câlisse!

Déchaîné, il faisait un massage cardiaque à son klaxon.

— Rangez-vous à droite, je vais descendre ici.

J'ai réglé la course et je me suis approché de la manif. Dans la grisaille de l'hiver, une rivière bouillonnante, chantante et colorée annonçait le dégel d'un printemps hâtif. L'atmosphère était bon enfant. La jeunesse avançait rapidement, sourire aux lèvres, mais résolue à se faire entendre. Tout le monde arborait un petit carré rouge en feutrine épinglé à la poitrine. Les slogans étaient originaux et humoristiques. Une pancarte indiquait: «Je pense, donc je paye. Cogito ergo \$um.»

Que s'était-il passé durant mon escapade scandinave? Les étudiants apathiques et incultes prenaient la rue et citaient Descartes en latin. M'étais-je assoupi cent ans comme la Belle au bois dormant?

*

À l'université, le campus était méconnaissable. Des factions d'étudiants patrouillaient en distribuant des tracts rappelant à leurs pairs les prochaines manifestations. De grandes banderoles rouges avec des slogans glorifiant la grève étaient suspendues dans l'atrium. L'une d'elles disait : *Restons phares.* Les deux cubes géants de l'esplanade avaient été recouverts de tissu rouge.

Où tout cela allait-il aboutir ? On avait l'impression qu'une grande machine avait été mise en marche, mais que personne ne savait comment la conduire, encore moins comment l'arrêter. Comme dans toute révolution, le rapport de forces était modifié. Les jeunes avaient pris la Bastille et le recteur se terrait à Versailles. Un mémo laconique du doyen rappelait aux profs qu'ils étaient tenus de donner leurs cours aux étudiants présents en classe.

Je suis passé au bureau de Georges pour le remercier d'avoir donné mes cours en mon absence. Malgré la chaleur dans la pièce, il portait son éternel chandail de laine bleu marine sur sa chemise blanche ouverte au col. Sur un sous-main de cuir usé, il écrivait une lettre à la plume. La pointe métallique grattait le papier avec un bruit de petit chat qui griffe une porte pour entrer. Les bordures de la feuille étaient déchirées et des arabesques apparaissaient en filigrane. Sa calligraphie était impeccable, toute en boucles et en fioritures.

Dès le vote de grève, Georges avait refusé de donner ses cours. Il campait dans son bureau, à la disposition des étudiants désireux d'échanger avec lui. En guise de reconnaissance du nouveau pouvoir étudiant, il avait décidé de fumer ouvertement dans son bureau. Un énorme cendrier en verre était rempli de mégots. Les volutes de fumée dérivaient lentement dans l'air chaud de la pièce.

Je feuilletais un livre avec des peintures de Jérôme Bosch. Georges était convaincu que cette grève était autre chose qu'un camp de vacances étudiant. Pour ma part, j'étais encore sceptique. J'ai cité Louis XVI réagissant à la prise de la Bastille :

— Est-ce une révolte ?

— Non, sire, c'est une révolution.

— Tu crois vraiment qu'ils peuvent faire plier le gouvernement ?

— Tant qu'ils restent unis, ils ont leurs chances. Ils viennent de passer le cap des trois cent mille grévistes. Même les facultés de médecine ont débrayé. C'est du jamais vu depuis 68.

— Oui, mais tu sais comme moi qu'une grève, ça se gagne avec l'opinion publique. D'après ce que j'ai entendu de mon chauffeur de taxi, ils n'ont pas encore convaincu le bon peuple de la justesse de leur cause.

— As-tu écouté leurs meneurs ? Le petit Binet-Caron, c'est un tribun digne de Bourgault. Il a cité Condorcet pour obtenir la gratuité scolaire.

— C'est vrai qu'ils écrivent bien. Y a même pas de fautes sur leurs pancartes.

— Surveille-les bien, René. Ils peuvent encore te surprendre.

*

Mon fils m'avait invité au lancement de son nouveau jeu vidéo. Je ne pouvais pas ne pas y aller. Je me suis pointé aux locaux de sa boîte ; un immense loft décloisonné, avec des poufs partout, un local de sieste, une table de baby foot, une machine d'arcade Galaga, une machine à sloche et plein d'ordis partout. Plus une maison de jeunes pour ados attardés qu'une boîte multimillionnaire.

Toute l'équipe était réunie au pied d'un escalier en colimaçon. En plus des barbes et des *tattoos*, les gars portaient des chignons. Tout le monde buvait du champagne dans des pots Mason avec des bâtons de cannelle et des canneberges ; le dernier chic dans le club sélect des urbano-branchouilles. Les bouchées étaient excellentes et raffinées, beaucoup trop pour ces tocards à chignon.

Le patron s'est adressé à l'équipe dans l'escalier. Il n'avait pas trente ans, portait des Daoust 301 et un chandail de Twisted Sister. Il parlait en bilingue et je ne comprenais pas tout. La société avait tout misé sur le jeu et le lancement mondial aurait lieu dans une semaine à Tokyo. Il a présenté longuement Mathieu (qu'il appelait Matthew) en louangeant son *know-how* et son *team-building*. Mon fils était rayonnant. Il a activé une démonstration du jeu sur un écran derrière nous. Tout le monde s'est retourné pour suivre ses explications en temps réel.

C'était magnifique. Les cinématiques étaient éblouissantes, la trame sonore, envoûtante et l'histoire, captivante. Intitulé *Gaelic's Gate*, le jeu se déroulait dans un univers celtique fantastique. J'ai reconnu avec émotion la patrie de mon grand-père et le monde imaginaire des histoires que je lui racontais quand il était petit. On pouvait ainsi incarner le valeureux chevalier Gayatt, le crapuleux voleur Pricouille ou Renay le druide, un sage qui avait mes traits. Cet hommage familial me chamboulait. Mathieu m'a d'ailleurs salué publiquement.

— Merci pour toutes les histoires que tu m'as racontées. Tu pensais que je dormais, mais je t'écoutais. *I owe you, pops.*

Tout le monde m'applaudissait. Je tâchais de cacher mes larmes. J'étais ridicule. Après la présentation, Mathieu est venu vers moi. Je l'ai embrassé chaleureusement.

— Mon fils, je suis tellement fier de toi. C'est majestueux. C'est grandiose. Ça va marcher, cette affaire-là.

— *Thanks, pops.*

— Ta mère est pas là ?

— *Nope.* Elle travaillait.

Il m'a entraîné vers le bar pour me présenter son équipe.

— *Pops*, laisse-moi t'introduire.

J'ai fait le tour de son monde ; des petits génies multitâches, version 3.0, complètement adaptés à leur époque.

*

Mon couteau estonien faisait des merveilles avec le fromage à la crème sur les bagels. Moi qui n'avais jamais eu grand appétit pour l'actualité, je suivais la grève en direct sur les chaînes d'info continue et les réseaux sociaux. Une nouvelle fébrilité citoyenne m'animait. Dans une émission d'affaires publiques, le porte-parole étudiant Alexis Binet-Caron était opposé à un politologue, une espèce de momie chauve et desséchée. Ce dernier s'est fait bouffer par le jeune, qui gardait un calme et une dignité exemplaires, alors que l'autre le tutoyait avec paternalisme. Selon le politologue, l'augmentation proposée par le gouvernement était raisonnable, puisqu'elle serait étalée sur cinq ans et correspondait à un café par jour.

— Qu'est-ce que le café vient faire là-dedans ? C'est une augmentation de 75 % qui menace la notion même du droit à l'éducation pour tous et toutes.

— Arrête de te draper dans des grands principes collectifs, tu représentes une génération d'enfants-rois incapables de se faire dire non.

— La génération qui a tout eu, c'est plutôt la vôtre. Moi, je termine mon bac cette année. Je ne subirai pas la hausse. Je fais la grève pour ceux qui suivent.

À bout d'arguments, le politologue s'est emporté avec une voix de fausset paniquée :

— Vous en avez de l'argent, vous avez des iPhone pis des *coats* de cuir !

Alexis a éclaté de rire. Il savait que l'autre venait de s'autopeluredebananiser. Le K.-O. était sans appel. Impérial, le jeune s'est tourné vers l'animateur en disant:

— Eh bien, je crois qu'on peut passer à une pause.

Il fallait le reconnaître, ça faisait de l'excellente télé. Moins d'une demi-heure plus tard, les réseaux sociaux étaient inondés d'images et de photos d'étudiants avec des manteaux de cuir ridicules. Le politologue était la cible de la gouaille étudiante, qui déclinait sa créativité sur toutes les plates-formes. Le pauvre avait été très imprudent de défier des jeunes inventifs, brillants, experts en marketing viral et disposant de beaucoup de temps libre.

Sur une autre chaîne, on voyait la ministre de l'Éducation en Chambre répéter la cassette gouvernementale : l'éducation était un gage d'enrichissement personnel et les jeunes devaient payer leur juste part. Épuisée, elle ressemblait de plus en plus à Gollum. Devant l'entêtement de l'opposition à refuser de ratifier la hausse, elle a répondu :

— Monsieur le président, je suis pantoite.

Les rires ont explosé dans l'opposition. Elle s'est rassise en rassemblant ses feuilles et ce qui lui restait de dignité. À sa décharge, il est vrai qu'on n'accorde pas souvent *pantois* au féminin. Ce que cette grève était en train de révéler, c'était la profonde inculture d'une élite politico-économique, qui défendait une conception utilitariste et individualiste de l'éducation. Par leur parole putréfiée et leur atrophie intellectuelle, les membres du gouvernement et leurs alliés du monde des affaires incarnaient la criante nécessité d'une école gratuite et humaniste dont la mission était de former des citoyens libres, et non de fournir aux entreprises des cerveaux formatés.

J'ai fermé la télé et j'ai plongé dans Platon.

*

La stratégie gouvernementale était cousue de fil blanc : laisser pourrir le conflit en espérant que les étudiants se lassent et que l'opinion publique se braque contre eux. Les éditorialistes et les colporteurs d'opinions exhortaient le gouvernement à ne pas céder à une poignée de contestataires. Mais qui étaient-ils eux-mêmes, sinon un lobby minoritaire non élu, à la solde de conglomérats néolibéraux ? La ministre de l'Éducation refusait catégoriquement de rencontrer les trois leaders étudiants, qui représentaient 95 % des cégeps et des universités en grève. Avec sa rhétorique simpliste de la juste part, le premier ministre, arrogant et désinvolte, ajoutait du fumier sur le compost.

Mais sur le fumier poussaient les fleurs.

Éloquents, pertinents, inébranlables, les leaders étudiants tenaient tête au gouvernement et à une partie de l'opinion publique de plus en plus hostile et polarisée. Projetés malgré eux à l'avant-scène d'un combat politique à l'issue incertaine, ces jeunes de vingt ans étaient admirables dans l'adversité. Dans mon temps, la seule décision difficile à prendre dans l'asso, c'était l'attribution du contrat de bière pour le bar étudiant.

Pour les profs, la situation n'était pas claire. Techniquement, on devait donner nos cours, mais dans les faits, ce n'était pas possible. Soit il n'y avait personne, soit les carrés rouges venaient perturber les classes. La plupart des profs venaient faire acte de présence à leur salle de classe et s'en retournaient à leur bureau. Ceux qui appuyaient la grève laissaient la porte ouverte.

J'étais dans mon bureau et je lisais Platon, la porte ouverte. Quatre siècles avant Jésus-Christ, le philosophe proposait des écoles publiques gratuites obligatoires pour garçons et filles. Les revendications des grévistes ne dataient pas d'hier.

Ma consœur Valérie Cyr est passée dans le corridor. Elle s'est arrêtée. Elle arborait un carré rouge. Elle m'a regardé avec un drôle d'air, comme si elle était surprise de voir au bureau la porte ouverte.

— C'était bon ta lecture, l'autre soir.

— Merci, toi aussi.

Elle est repartie en hochant discrètement la tête. Comme si elle approuvait quelque chose.

Héloïse, Steeve et un autre étudiant sont passés me voir. Sur leur chandail à capuchon noir, ils portaient un carré rouge ; petit hublot qui donnait sur la fournaise de leur cœur. Les trois restaient dans la porte. Quelque chose en eux avait changé. Leur visage était émacié et cerné. Leurs yeux étaient épuisés mais déterminés.

— Ça va ? Vous avez l'air fatigués.

Steeve a répondu :

— On est dans la rue à chaque soir. Le matin, on a des réunions pour préparer les actions. On dort pas beaucoup.

Des enfants devenus soldats. Où étaient passés mes petits étudiants fainéants et insouciants ? Ils avaient vieilli trop vite. J'avais le goût de les prendre dans mes bras.

Ils voulaient que je donne une conférence dans le cadre d'une université populaire pendant la grève. Un projet inspiré du Black Mountain College, qui décloisonnait les disciplines et intégrait les arts visuels. Pour leurs actions durant la grève, ils reprenaient les trois E du mouvement indépendantiste catalan : Éthique, Épique, Esthétique. Alors que les médias les montraient en train de jouer au aki, ils voulaient continuer d'apprendre pendant la grève. Comment refuser.

— Je vais vous préparer quelque chose.

— Merci, monsieur McKay. Tenez.

Me jugeant digne de recevoir mes galons, Steeve me tendait un petit carré rouge en feutrine. On aurait dit un enfant offrant un bricolage. C'était à la fois ridicule et solennel. Je retournais le carré entre mes doigts.

— Pourquoi un carré rouge?

— Parce que le gouvernement veut nous mettre carrément dans le rouge.

Un logo fort, un slogan simple : d'un point de vue marketing, c'était un coup de maître. J'ai reposé le carré sur mon bureau.

— OK, les jeunes. On se voit jeudi. Prenez soin de vous.

Ils sont partis en silence, comme un détachement militaire. Sur ces entrefaites, Ti-Coq est entré dans mon bureau en me prenant à partie :

— Les ostie de carrés rouges! Y se battent pour l'éducation, mais y nous empêchent de donner nos cours.

Il a vu le carré rouge sur mon bureau.

— Qu'est-ce que tu fais avec ça? Dis-moi pas que t'es de leur bord, crisse!

— Ils ont raison de se battre.

— Es-tu malade? C'est des ostie d'hippies qui veulent rien payer. J'en reviens pas.

Il est entré dans son bureau en maugréant. Décidément, cette grève révélait le vrai visage des gens. Avec un trombone, j'ai fixé le carré rouge à ma chemise.

*

Pour ma conférence à l'université populaire, j'avais décidé de souligner l'importance de la parole dans la Révolution française. Nourris par les philosophes des Lumières et les penseurs grecs, les meneurs de la Révolution étaient d'habiles orateurs. Danton, bien sûr, le tribun enflammé, le bourgeois noceur qui savait parler au peuple. Dans les débats publics, sa voix tonnait comme un canon. Et son exact opposé, Robespierre, le penseur orthodoxe, l'Incorruptible, le mangeur d'œufs crus jansénite, l'adorateur de l'Être suprême. Devant la Convention, ses discours interminables distillaient les fondements intellectuels d'une république idéale. Et Saint-Just, l'éphèbe enivré par l'odeur du sang, qui voyait des ennemis de la Révolution partout. Un visage d'ange aux lèvres assassines ; on ne compte plus les innocents que sa parole tranchante a envoyés à l'échafaud.

Accusé de s'être enrichi au profit de la Révolution et d'indulgence envers les ennemis de la République, Danton a été traduit devant le Tribunal révolutionnaire qu'il avait lui-même créé. Tant qu'il parlait, il pouvait assurer sa défense avec l'appui du peuple. Rendu aphone par l'humidité des geôles, il a été condamné à mort. En perdant la voix, il a perdu la vie. Sur les marches de l'échafaud, il a eu ce mot célèbre : « Bourreau, tu montreras ma tête au peuple, elle en vaut la peine. »

Quant à eux, Camille Desmoulins et, depuis sa baignoire, Marat écrivaient des brûlots qui enflammaient l'opinion publique. Bien avant les réseaux sociaux, c'est la parole qui a permis à la Révolution d'être soutenue par le peuple.

C'est aussi la parole qui permettait à la grève étudiante d'occuper l'espace public. L'éloquence des meneurs étudiants contrastait avec la pauvreté langagière du gouvernement. Les jeunes savaient convaincre, mais aussi faire rêver, ce que les politiciens-comptables étaient incapables de faire. Avec les milliers de slogans en mouvement dans les rues, jamais le français ne s'était aussi bien porté dans la ville. Aurait-il fallu faire des pancartes avec leurs travaux pour que les étudiants corrigent leurs fautes?

Le refus obstiné du gouvernement de négocier avec les grévistes accentuait la tension. Durant les manifs, des vitrines éclataient. Une bombe fumigène avait forcé l'évacuation du métro. Sur la question de la violence, le pauvre Alexis Binet-Caron patinait sur des œufs. En tant que porte-parole, il n'avait pas le mandat de livrer ses opinions, mais de relayer les décisions de la coalition étudiante. Et la coalition n'avait pas encore statué sur le sujet. Il a fini par dénoncer la violence contre les personnes, mais pas contre les objets. On se rapprochait du sophisme corse : « Nous condamnons la violence, mais pas les auteurs. »

Le gouvernement avait bien compris que la question de la violence d'une poignée de radicaux discréditait l'ensemble des étudiants. Avec une rhétorique populiste au possible, le premier ministre avait beau jeu de se poser en gardien de la loi et de l'ordre. La stratégie fonctionnait. Dans les sondages, l'appui de l'opinion publique aux étudiants avait fléchi de quinze points en une semaine. On en était maintenant au coude-à-coude. Deux conceptions s'affrontaient : à droite, l'éducation marchandise, fondée sur l'utilisateur-payeur et gage d'enrichissement personnel ; à gauche, l'éducation humaniste, gratuite, facteur d'enrichissement collectif. Jamais le pays n'avait autant discuté d'éducation. Mon métier était peut-être important, après tout.

*

L'atrium grouillait d'activité. Il fallait bien une grève pour que les étudiants travaillent à l'université un jeudi soir. Tout le monde avait son carré rouge. J'avais mis mon mackinaw carreauté rouge et noir. En tout, je devais arborer une centaine de petits carrés rouges. C'était tout à fait dans le ton. La tour d'escalade était couverte d'affiches avec des slogans contre la hausse.

Dans un coin, vêtus de leurs combinaisons de garagiste rouges, des étudiants en arts visuels s'activaient. Ils imprimaient des affiches et des t-shirts, qu'ils suspendaient à sécher sur des cordes à linge. Tout ça était très joli, avec le rouge à l'honneur, comme un jardin de la révolution.

À mon arrivée, Valérie Cyr terminait une allocution sur le matriarcat des sociétés iroquoises. Sous les applaudissements nourris, elle m'a cédé la parole. J'ai donné un bon vieux cours magistral, sans artifice électronique. J'étais en forme et passionné. Une centaine de jeunes étaient assis, dont plusieurs par terre, bière en main. Ils étaient beaucoup plus attentifs que durant mes cours. L'université à l'état pur : sans notes, sans corrections, sans triche, sans diplômes à rabais, sans financement de recherche, sans réunions départementales et sans rectorat. Que le plaisir gratuit du partage de la connaissance. Comme Platon l'avait toujours voulu.

Les jeunes étaient suspendus à mes lèvres. Plusieurs me filmaient. Grâce à eux, je retrouvais l'élan des premiers jours. Je n'étais plus le prof qui parlait de Danton pendant la grève de 2012, j'étais Danton haranguant l'Assemblée en 1793. Grisé par mon propre verbe, j'allais de crescendo en crescendo, mais j'allais devoir clore. Un discours, c'est comme la révolution : beaucoup plus facile à commencer qu'à finir. Emphatique, j'ai conclu avec une citation de Robespierre sous les rugissements de la foule.

— « Le ressort du gouvernement populaire en révolution est à la fois la vertu et la terreur ; la vertu, sans laquelle la terreur est funeste ; la terreur, sans laquelle la vertu est impuissante. »

Héloïse et Steeve exultaient. Comme première soirée, l'université populaire était un succès. En partie grâce à moi. Steeve est venu me voir pendant qu'on m'applaudissait encore.

— C'était magnifique. Vous venez à la manif?

— Avec plaisir, citoyen Simard.

On s'est fait l'accolade, avant de rejoindre Héloïse et Valérie. Pancartes en main, les jeunes quittaient l'atrium.

Dehors, une nuit de printemps très douce appelait à tous les possibles. Nous étions à la tête de la manif, qui s'ébranlait au centre-ville. Derrière nous, la file s'étendait à perte de vue. Une rumeur disait que nous étions cinquante mille. Partout, le peuple. Des chants repris en chœur. Une énergie printanière de fleuve libéré de sa gangue de glace. Le pouvoir du peuple, je le voyais, je l'entendais et je le sentais. La démocratie, ce n'est pas seulement de faire un X dans une case tous les quatre ans. Dans ma ruelle, un graffiti avait été peint : « Les urnes, c'est pour les morts ». Devant la vie de la rue, la messe électorale vide et mensongère tenait en effet d'un requiem pour la démocratie.

On avançait vite ; la jeunesse est pressée. Devant moi, un jeune tenait une pancarte : « Mon recteur est riche en tabarnak ! » Un couple de sexagénaires défilait à nos côtés. Ils venaient de la rive nord tous les soirs pour soutenir les jeunes. La dame distribuait des carrés rouges qu'elle tricotait durant le jour. Le couple recevait des câlins d'étudiants émus de sa solidarité. Valérie marchait à ma gauche. Avec son chandail de laine, son carré rouge, sa tuque noire et ses lunettes, elle avait plus l'air d'une étudiante que d'une prof. En compagnie de Steeve, Héloïse et tous les autres, elle scandait les slogans avec hargne et cœur.

À la télé, les manifs de jour semblaient bon enfant. Ce soir, on sentait la colère et la puissance jusque dans le martèlement des pieds sur l'asphalte. Plus on avançait vers la tête du cortège, plus on saisissait l'énergie brute de la rue. C'était à la fois grisant et saisissant. Cette énergie n'était pas réactive, comme lors d'un concert; elle émanait du peuple lui-même, qui découvrait sa rage collective. Une force de la nature libérée, un torrent déferlant qui a submergé le barrage et qui échappe aux écluses. C'était précisément le caractère incontrôlable et imprévisible de cette force qui faisait trembler l'État.

En remontant une rue, tout le cortège s'est immobilisé, bloqué par une rangée de flics anti-émeute. Autour de moi, la masse devenait plus compacte et vindicative. Je n'avais jamais soupçonné que mes étudiants puissent être à ce point en colère. En colère contre l'État, qui refusait d'entendre leur voix; en colère contre les policiers, bras armé de cet État sourd.

Sous les huées, un haut-parleur a répété que la manifestation venait d'être déclarée illégale parce que la police n'en avait pas reçu l'itinéraire. On nous ordonnait de nous disperser. Je surveillais nerveusement Héloïse et Steeve. Ils s'étaient pris la main, le visage tendu et résolu. Un couple de chrétiens attendant d'être jeté aux fauves dans l'arène du Colisée. À ma gauche, Valérie scandait avec les autres, le poing en l'air :

— On avance! On avance! On recule pas!

Les deux lignes de front étaient figées dans leur position, comme les Spartiates et les Perses aux Thermopyles. Soudain, une bouteille d'eau en plastique a jailli de la foule en direction des policiers. La réplique s'est déchaînée. D'un seul bloc, les flics ont chargé. Les manifestants se sont dispersés dans la cohue et les cris. Ça courait en tous sens et ça criait de partout. Devant nous, des affrontements avaient lieu entre les flics et des cagoulards en noir. Surgis des ruelles transversales, des flics nous empêchaient de nous échapper. Derrière nous, une rangée de flics à cheval nous barrait le chemin.

L'issue du combat entre un ours et un alligator dépend essentiellement du terrain. En forêt, l'ours est plus mobile et ses griffes puissantes attaqueront la tête en surplomb. Dans l'eau, l'alligator tentera de s'enrouler autour de sa proie pour la noyer. Cette nuit, contre une meute en embuscade, les gazelles n'avaient aucune chance.

Valérie s'était retournée et marchait avec conviction vers la cavalerie. Elle s'est arrêtée à une dizaine de mètres des chevaux, l'index et le majeur brandis en signe de paix devant la violence qui déferlait autour d'elle. Sur un échiquier fou, un pion se tenait seul devant une rangée de cavaliers noirs. Un flic à cheval s'est détaché de la ligne et s'est avancé vers elle. Valérie ne bronchait pas. Je guettais la scène, en m'approchant lentement.

D'un coup sec, le cavalier a enfoncé ses éperons dans les flancs de sa monture, qui a aussitôt foncé sur Valérie. Sans réfléchir, j'ai plongé vers elle pour la plaquer sur le côté. J'ai reçu un choc épouvantable dans les côtes et nous avons roulé lourdement au sol. Ses lunettes sont tombées. Le cavalier a poursuivi sa route sans broncher. Avant qu'elle n'ait pu ramasser ses lunettes, un flic a empoigné Valérie par les cheveux et l'a renversée par terre en la traînant sur le dos. Elle criait en se tenant la tête. Je me suis relevé péniblement en me ruant vers le flic.

— Heille, crisse de malade ! Lâche-la.

— Ta gueule, toi !

Un flic m'a frappé par-derrière avec sa matraque. Un éclair de douleur m'a descendu dans le dos. Le flic a lâché Valérie, qui hurlait en se tenant les cheveux. J'ai couru à sa rescousse pour la réconforter. Autour de nous, les policiers avaient formé un immense carré pour nous empêcher de fuir. Nous étions quelques centaines pris en souricière.

Devant les flics impassibles, un jeune avec un chandail des Canadiens criait:

— Laissez-nous partir, on a rien fait!

Un flic lui a répondu:

— T'as rien fait? Ben, continue de rien faire.

Plus loin, un cagoulard masqué hurlait en boucle à la face d'une grosse policière impassible:

— Police politique! Politique politique! Police politique!

La flic lui a dit froidement:

— Toi, t'es mieux de fermer ta gueule, sinon ça va mal aller.

— C'est une menace?

— C'est une promesse.

— Police politique! Police po...

Vive comme un cobra, la flic lui a poivré les yeux avant de le plaquer au sol. Le jeune hurlait et se débattait. Deux autres flics sont venus le menotter dans le dos avec des attaches en plastique. Comme s'il était un sac de poubelle. Ils l'ont empoigné et traîné hors du cordon policier.

Peu à peu, ça s'est apaisé autour de nous. Valérie et moi avons retrouvé Steeve et Héloïse, assis sur une chaîne de trottoir. Elle avait les mains plaquées sur le visage et gémissait.

— Mes yeux! Ça brûle!

Steeve tentait de la réconforter. Un cagoulard en noir lui a tendu une bouteille remplie d'un liquide blanchâtre.

— Rince-lui les yeux avec ça.

Aidé de Valérie, Steeve a renversé la tête d'Héloïse vers l'arrière pour lui asperger les yeux. Elle s'est calmée. Steeve était furieux.

— Ils l'ont poivrée, les chiens.

Valérie et moi nous sommes assis à côté d'eux. Héloïse frissonnait dans la nuit. Je lui ai recouvert les épaules de mon mackinaw aux mille carrés rouges. Plusieurs jeunes étaient assis dans la rue en petits groupes. Certains circulaient pour partager de la nourriture ou de l'eau. Si une fille voulait pisser, elle pouvait s'exécuter au-dessus d'une bouche d'égout alors que des jeunes l'encerclaient, dos tourné, pour lui procurer de l'intimité. Devant nous, une jeune en panique se faisait réconforter par des inconnus.

— Monsieur, vous saignez. Je vais vous soigner.

Sans attendre ma réponse, une fille avec une trousse de premiers soins et des gants de latex bleus m'a épongé le front avec une gaze stérile. Absorbé par ma douleur aux côtes, je n'avais pas remarqué ma blessure à la tête.

— Merci.

— Merci d'être avec nous.

Elle m'a mis un pansement avant de continuer sa tournée. Selon les mots brodés au dos de sa veste, elle étudiait en soins infirmiers. Elle serait une excellente infirmière. Sur toutes les tribunes, on dépeignait les grévistes comme des galopins égoïstes et gâtés. Où étaient les médias quand c'était le temps de montrer la jeunesse solidaire et généreuse ?

Quelqu'un a fait circuler un paquet de cigarettes. J'en ai pris une par fraternité. À ma gauche, un type m'a donné du feu. Il portait des journaux roulés, *tapés* aux tibias et sur les avant-bras, avec un plastron et un masque de gardien de but remonté sur sa tête. Son armure ridicule était tout droit sortie de *La guerre des tuques*. Il était chaussé des mêmes bottes noires que les policiers. Un flic infiltré ? Je devenais parano. Son visage était jeune et avenant ; il n'avait pas une gueule de flic. Quoique…

Même si chaque inspiration me brûlait la gorge et m'élançait les côtes, la cigarette était bonne. J'ai enlacé Valérie d'un bras. Elle a posé sa tête sur mon épaule. À côté de nous, Héloïse et Steeve avaient exactement la même position.

Pâle comme la lune, un manifestant s'est adressé aux flics en montrant un bracelet argenté :

— Je suis diabétique. J'ai perdu mon insuline. Je suis en hypoglycémie. Laissez-moi sortir. Faut vraiment que je me pique.

Comme activé par une télécommande, le mur de flics s'est entrouvert pour laisser passer le jeune, avant de se refermer aussitôt.

La rue était jonchée de pancartes piétinées. Sur l'une d'elles, on pouvait lire : « Mon père est dans l'anti-émeute, ma grand-mère est dans la rue. » La ville était un champ de bataille. Nous étions des prisonniers de guerre. La guerre que menait l'État contre ses enfants.

Après plusieurs heures d'attente, on nous a fait monter un à un dans des autobus de la ville. Avant de nous embarquer, on nous menottait les mains derrière le dos avec des attaches en plastique. Le type devant moi avait un point-virgule tatoué à l'intérieur du poignet. En montant à bord, je lui ai demandé :

— Qu'est-ce que ça représente ton *tattoo*?

— Un point-virgule. Moi, j'ai voulu me suicider, mais j'ai décidé de continuer. Le *tattoo*, c'est pour me rappeler que je n'ai pas encore mis le point final à ma vie.

— Cool.

Je n'avais rien trouvé de mieux pour synthétiser mon empathie et mon approbation. Voilà un nouvel usage du point-virgule qui m'était tout à fait inconnu et qui méritait réflexion. En fin de compte, je n'étais pas un dinosaure, mais un reptile ; un lézard à sang froid, issu d'une autre époque, qui avait survécu aux cataclysmes et qui pouvait certainement cohabiter avec des mammifères pleins d'avenir et de vie. Pour paraphraser Miron : j'étais sur la place publique avec les miens, et l'éducation n'avait pas à rougir de moi.

Assise à mes côtés, Valérie avait posé sa tête sur mon épaule. Elle n'avait plus ses lunettes. Ses petits yeux étaient perdus dans le lointain. Son visage était balayé de rouge par les gyrophares. Elle a murmuré :

— Merci de m'avoir protégée.

À ma gauche, Steeve était assis avec Héloïse. À genoux sur son banc, elle prenait des photos avec son téléphone dans le dos. J'ai remarqué ses mains bleuies par la strangulation des menottes. Moi-même, je ne sentais plus mes doigts. J'étais abattu par la fatigue. Mon corps me faisait mal partout. À chaque respiration, mes côtes m'élançaient. Steeve m'a vu grimacer.

— T'as mal ?

Il me tutoyait. Pendant la grève, les classes étaient abolies.

— Ouain, je me suis fait passer dessus par un cheval.

— Les chiens !

J'avais terriblement faim et soif. L'autobus empestait l'étable. Ne pouvant plus se retenir, plusieurs s'étaient pissé dessus, ultime humiliation voulue par les flics. Engourdi par la douleur et l'épuisement, j'ai fermé les yeux. Autour de moi, j'écoutais une conversation à plusieurs voix.

— Qu'est-ce que tu penses qu'il va se passer après la grève ?

— Je ne sais pas…

— Si le gouvernement annule la hausse, tout le monde va rentrer chez lui et faire comme avant ?

— Je ne sais pas…

— J'espère que non, crisse. On n'a pas tout fait ça pour rien.

Steeve est intervenu :

— Une génération politisée, c'est jamais perdu.

Il avait bien raison.

Après une éternité, l'autobus s'est finalement mis en marche. Avec l'inépuisable énergie qui les caractérise, les jeunes se sont mis à chanter des chansons de camps de vacances à tue-tête :

— Y avait des gros crocodiles et des orangs-outans ! Des affreux reptiles et des jolis moutons blancs !

La jeunesse était indestructible. Alors que les flics avaient tout fait pour la démolir et la démoraliser, elle répliquait avec l'humour des enfants. C'étaient mes enfants. Ils avaient l'âge de mon fils. Et j'étais si fier d'eux.

L'aube pointait de ses premières lueurs sur les toits. L'autobus roulait dans la ville déserte. Une impression irréelle postapocalyptique ; comme si nous étions les derniers survivants dans un mauvais film de science-fiction. L'autobus s'est immobilisé devant un poste de police au bout du monde, dans un coin de la ville que je ne connaissais pas.

Un par un, on nous a fait descendre du bus. On nous a enlevé nos attaches avant de nous faire comparaître à une table, où un flic distribuait des contraventions à la chaîne. Il inscrivait l'amende et le chef d'accusation avec un tampon-encreur. Une usine à tickets bien rodée ; 634 dollars pour attroupement illégal.

J'ai rejoint Valérie, Héloïse et Steeve, en train de donner leur courriel à une étudiante en droit qui organisait un recours collectif pour contester les amendes. Valérie avait appelé un taxi. On s'est entassés à l'arrière avec Héloïse et Steeve. Valérie était assise sur moi. Elle était légère comme un oiseau. On a refait le trajet en sens inverse vers le centre-ville. Les flics avaient vraiment tout fait pour nous décourager de manifester à nouveau.

Nous avons déposé les jeunes devant chez Héloïse. Elle m'a redonné mon mackinaw, plié comme une relique sacrée. On s'est fait des accolades de frères et sœurs d'armes qui se séparent du front.

— Salut, les jeunes. Prenez soin de vous.

Le chauffeur s'est retourné vers nous. J'ai demandé à Valérie :

— Tu viens chez moi ?

— Oui.

À notre arrivée au condo, le soleil était sorti et les moineaux piaillaient. Dans la boîte aux lettres d'un voisin, le journal du jour venait d'être livré. La une était saisissante. À travers le chaos enfumé, on voyait Valérie avec le V de la paix brandi devant le cheval. C'était une photo historique du même calibre que l'étudiant chinois devant le tank sur la place Tian'anmen. Le titre était à l'avenant : *Les profs dans la rue !*

J'ai tendu le journal à Valérie. C'était surréel. Un texto de mon fils Mathieu indiquait : *Awesome ton speech, pops !* Je ne comprenais pas. Valérie souriait en me tendant son téléphone.

— Toi aussi t'es une vedette. C'est partout sur les réseaux sociaux.

Une vidéo montrait la finale enflammée de mon allocution de la veille sur la Révolution française. Après l'envoi de Robespierre, la caméra balayait sur les étudiants applaudissant à tout rompre. Je n'avais jamais été aussi efficace dans un discours. Partagée entre partisans et détracteurs, la section des commentaires était un maelstrom d'injures enfiévrées.

Nous sommes montés chez moi, épuisés par ce *voyage au bout de la nuit*. Il faisait bon dans le condo. J'ai activé le foyer au propane. Valérie s'est précipitée

150

aux toilettes. Assoiffé comme un chien, j'ai descendu deux grands verres d'eau.

Valérie est revenue et s'est mise à trembler comme une mésange en janvier. Je l'ai enlacée. Nous étions sales et transis. Nos vêtements puaient la révolution.

— Veux-tu prendre une douche?

— Oui.

Je l'ai menée à la salle de bain.

— Les serviettes sont là.

J'allais refermer la porte, mais elle m'a tiré par la main.

— Toi aussi, t'as besoin d'une douche.

Nous nous sommes dévêtus en silence. Tout mon corps me faisait mal. Et pour cause; mon dos portait la trace rouge de l'impact d'une matraque. Sur le flanc droit, au centre d'une tache qui virait au mauve, j'avais l'empreinte en demi-lune d'un fer à cheval imprimée dans la peau. Complètement nue, Valérie regardait la marque avec déférence, en passant délicatement son doigt dessus.

Nous avons pris notre douche ensemble, en nous savonnant mutuellement. Très doucement. Elle était toute menue, avec pas de seins et des hanches de chatte. Sa peau était incroyablement douce et ferme. Je lui ai lavé les cheveux avec précaution. De grandes touffes arrachées par le flic me restaient dans les mains. Sous le jet brûlant, nous avons fait l'amour tendrement et en silence, comme deux vieux. Après toute cette violence, nos corps battus avaient besoin de réconfort.

En sortant de la douche, j'avais mis une serviette autour de ma taille, pour exhiber mes blessures de guerre. Pour la première fois depuis longtemps, je me sentais heureux, léger et affamé. J'ai préparé des bagels et du café.

Valérie avait enfilé un de mes t-shirts. Ses petites pattes nerveuses me troublaient. Son téléphone a vibré dans la salle de bain. Elle a répondu. Après avoir écouté attentivement, elle a dit :

— OK, Karine. Si tu penses que c'est ce qu'il faut faire. Moi, j'ai la conscience tranquille.

Elle a raccroché, pensive.

— C'était Karine au département.

— Elle est de bonne heure sur le piton.

— Le recteur veut me suspendre. À cause de la photo dans le journal.

Avant même que je réplique, mon téléphone a sonné. C'était Dragon. Je me doutais bien de ce qui m'attendait.

— Le recteur a vu ta conférence à la télé. Il est furieux. Le doyen aussi.

Je jouais les innocents.

— Pourquoi ?

— Robespierre, René. La Terreur. Mais qu'est-ce qui t'a pris ? Tous les médias disent que les profs de l'université attisent la violence des étudiants. Ils parlent de sédition.

— Si t'avais été dans la rue avec nous hier soir, t'aurais vu de quel bord elle est, la violence. Les flics sont déchaînés, Karine.

Je sentais son hésitation.

— Écoute, le recteur veut te suspendre. Ça serait mieux que tu te tiennes tranquille et que tu reviennes pas à l'université. Au moins pour le temps de la grève… Le temps que la poussière retombe.

Dans une révolution, il n'y a que deux côtés à la barricade, et le mien n'était pas celui des monarchistes. J'avais voulu jouer les Danton, c'était à mon tour de passer à l'échafaud.

— Tu montreras ma tête au département, elle en vaut la peine.

— Faut que tu le comprennes. T'es allé trop loin.

152

— «On va toujours trop loin pour ceux qui ne vont nulle part». Falardeau.

— T'as changé, René.

— Toi aussi. Y a deux ans, t'aurais été dans la rue avec nous.

Le coup avait porté. Elle a raccroché. J'avais un grand sourire.

— Moi aussi, ils veulent me suspendre.

J'ai tapé dans la main de Valérie avec énergie. Songeuse, elle ne partageait pas mon enthousiasme.

— C'est une femme qui m'a chargée avec le cheval. C'est une femme qui m'a annoncé ma suspension. C'est quand même désolant, cette violence entre femmes au service du patriarcat.

— L'égalité des sexes, ça rend pas les femmes meilleures que les hommes. Ça permet aux femmes d'être aussi minables que les hommes.

Elle m'a regardé. Sans ses lunettes, elle plissait les yeux. Elle a esquissé un sourire fatigué. Mon téléphone a sonné. C'était Vicky. On ne s'était pas parlé depuis le divorce chez l'avocat.

— J'ai vu ton *speech* sur YouTube. Wow! T'es une star. Tout le monde parle de toi sur les réseaux sociaux.

Je ne l'ai pas contredite. Ni relancée. Elle m'avait toujours reproché mon manque d'ambition.

— Ben, j'appelais pour prendre de tes nouvelles. Comment ça va, toi?

— Moi, très bien.

— À part des conférences, qu'est-ce que tu fais de bon pendant la grève?

— Pas grand-chose.

Elle s'attendait sans doute à ce que je sois plus loquace.

— J'aimerais ça qu'on se voie pour un café ou quelque chose. Je m'ennuie, tu sais.

Valérie regardait au loin par la fenêtre de la porte-patio. Je devinais ses petites fesses dans le contre-jour du levant. L'horizon s'embrasait de rouge et d'orangé; comme si la ville était en feu. J'ai tenté d'être le plus délicat possible avec mon ex :

— Écoute, Vicky… Je pense pas que ce soit une bonne idée… Je te souhaite d'être heureuse.

J'avais à peine raccroché que mon téléphone sonnait derechef. Décidément. L'afficheur indiquait un poste de radio bien connu. Les vautours m'avaient retracé rapidement. Les autres rapaces ne tarderaient pas à rappliquer. Plus tard, je prendrais la parole pour appuyer publiquement les étudiants. Mais pas maintenant. J'ai éteint mon téléphone et enlacé le petit corps chaud de Valérie.

Devant nous, dans le ciel printanier plein d'avenir, un grand soleil rouge illuminait la ville.

Petite-Patrie
Printemps 2017

MERCI

Jean Barbe.
Éditeur et complice, qui vingt fois sur le clavier m'a fait remettre mon ouvrage.

Jeanne Lavictoire et Maxime Larrivée-Roy.
Pour leurs commentaires éclairants sur la grève étudiante de 2012.

Léon.
Pour ses remarques pertinentes concernant la vie universitaire.

Mon frère Étienne.
Pour Pricouille et Gayatt ;)

RÉPONSES DE L'EXAMEN

1. F (*Voyage au bout de la nuit*)
2. F (armée allemande)
3. V
4. F (2013)
5. V
6. C
7. A
8. B
9. C
10. A

Achevé d'imprimer en septembre 2017
sur les presses de
Marquis imprimeur

Dépôt légal : 3ᵉ trimestre 2017

Imprimé au Canada